JEFF KINNEY'NİN DİĞER KİTAPLARI

Saftirik'in Günlüğü

Saftirik'in Günlüğü 2: Rodrick Kuralları

Saftirik'in Günlüğü 3: Türünün Son Örneği

Saftirik'in Günlüğü 4: İşte Şimdi Yandık!

Saftirik'in Günlüğü 5: Ama Bu Haksızlık!

Saftirik'in Günlüğü 6: Panik Yok!

Saftirik'in Günlüğü 7: Ah Kalbim!

Saftirik'in Günlüğü: Kendin Yap Kitabı

Saftirik Film Günlüğü

Çeviri: Kenan Özgür

Wimpy Kid

SAFTİRİK

GREG'İN GÜNLÜĞÜ

BATSIN BU DÜNYA!

Jeff Kinney

SAFTİRİK GREG'İN GÜNLÜĞÜ
BATSIN BU DÜNYA!

Orijinal Adı: Diary Of a Wimpy Kid / Hard Luck
Yazarı: Jeff Kinney

Yayın Yönetmeni: Aslı Tunç
Çeviri: Kenan Özgür
Düzenleme: Gülen Işık
Kapak Uygulama: Berna Özbek Keleş

21. Baskı: Aralık 2018
ISBN: 978-9944-82-746-1

Yayıncının Notu: Bu kitap kurgu eserdir. İsimler, karakterler, yerler ve olaylar yazarın hayalgücünün ürünüdür ya da kurgusal olarak kullanılmıştır. Yaşayan ya da ölmüş kişilerle, işletmelerle, olaylarla ya da mekanlarla olası benzerlikler tamamen tesadüftür.

Kitap Tasarım: Jeff Kinney
Kapak Tasarım: Chad W. Beckerman ve Jeff Kinney
İngilizce ilk baskı: 2013 (Amulet Books - Imprint of Abrams)

Baskı ve Cilt:
Vizyon Basımevi
Beylikdüzü O.S.B. Mah., Orkide Cad., No: 1/Z
Beylikdüzü/İstanbul
Tel: (212) 671 61 51 Faks: (212) 671 61 50
Sertifika No: 28640

Yayımlayan:
Epsilon Yayınevi Ticaret ve Sanayi A.Ş.
Osmanlı Sok., No: 18/4-5 Taksim/İstanbul
Tel: (212) 252 38 21 Faks: (212) 252 63 98
Internet adresi: www.epsilonyayinevi.com
e-mail: epsilon@epsilonyayinevi.com
Sertifika No: 34590

CHARLIE'YE

MART

Pazartesi

Annem hep arkadaşların gelip geçici, ailenin ise kalıcı olduğunu söyler. Eğer bu doğruysa, yandım demektir!

Yani tamam, ailemi seviyorum filan ama bizim bir arada YAŞAMAMIZIN pek doğru olduğunu sanmıyorum. Belki ileride hepimiz ayrı evlerde yaşasak ve yalnızca bayramlarda, özel günlerde, tatillerde filan görüşsek daha iyi olur. Ama şu an için durum pek iç açıcı değil.

Annemin sürekli "aile" mesajını dayatması beni şaşırtıyor çünkü kendi de kız kardeşleriyle pek iyi anlaşamıyor. Belki bunu bana ve kardeşlerime sürekli tekrarlaması halinde, kendisinin de kardeşleriyle arasının düzeleceğini düşünüyordur. Ama onun yerinde olsam, kendimi kandırmazdım.

Sanırım annem, Rowley ile durumum konusunda kendimi daha iyi hissetmemi sağlamaya çalışıyor. Rowley, bizim mahalleye taşındıklarından beri benim en iyi arkadaşımdı. Ama son zamanlarda aramız hiç iyi değil.

Ve hepsi bir KIZ yüzünden.

Yemin ederim, dünyada bir kız arkadaşının olabileceğine inandığım en son insan ROWLEY idi.

Hep BENİM bir ilişki yaşayacağımı ve herkesin Rowley'e acıyacağını düşünürdüm.

Sanırım Rowley'i kendisinden hoşlanan bir kız bulduğu için takdir etmeliyim. Ama buna SEVİNMEK zorunda olduğumu hiç sanmıyorum.

Eski güzel günlerde, yalnızca Rowley ve ben vardık. Birlikte takılıyor, canımız ne isterse onu yapıyorduk. Canımız öğle yemeğinde çikolatalı sütle baloncuklar yapmak mı istedi, hemen yapıyorduk.

Ama şimdi aramıza bir kız girdi ve her şey TAMAMEN değişti.

Rowley nerede, kız arkadaşı Abigail orada. Orada olmasa bile, SANKİ orada gibi. Geçen hafta sonu Rowley'i bizde yatıya kalması için çağırdım. Böylece birlikte biraz zaman geçirebilecektik. Ama yaklaşık iki saat sonra, eğlenmeye çalışmaktan vazgeçtim.

Hele ikisi bir aradayken, daha da BETER! Rowley ve Abigail çıkmaya başladıklarından beri, Rowley'in kendine ait hiçbir FİKRİ yok sanki.

Bunun şimdiye kadar sona ereceğini, her şeyin normale döneceğini ummuştum. Ama hiç biteceğe benzemiyor.

Bana sorarsanız, işler çığırından çıktı BİLE. Rowley'de küçük değişiklikler fark etmeye başladım. Saçlarını taramaya başladı, kıyafetleri değişti... ve BAHSE GİRERİM hepsinin sorumlusu Abigail.

Ama bunca yıldır Rowley'in en iyi arkadaşı BENDİM, bu yüzden eğer birinin onu değiştirme hakkı varsa, o kişi BENİM!

Hiç anlamıyorum... İnsan birinin en iyi arkadaşıyken, nasıl olur da birden pabucu dama atılır! Nasıl birden değersiz olur? Ama aynen böyle oldu.

Kış boyunca, Rowley ve ben, bizim derin dondurucuda kar topları saklamıştık. Böylece havalar ısındığında da kar topu oynayabilecektik.

Dün de uzun zamandan beri ilk kez hava güzeldi. Rowley'lere gittim. Ama Rowley beni dışladı.

Mesele şu: Ben gönül rahatlığıyla Abigail'e çok kibar davrandığımı söyleyebilirim. Ama KIZ benden HOŞLANMIYOR. Rowley ile çıkmaya başladıklarından beri, onunla benim aramızı açmaya çalışıyor.

Ama ne zaman bu konuyu Rowley'e açacak olsam, aynı şeyle karşılaşıyorum.

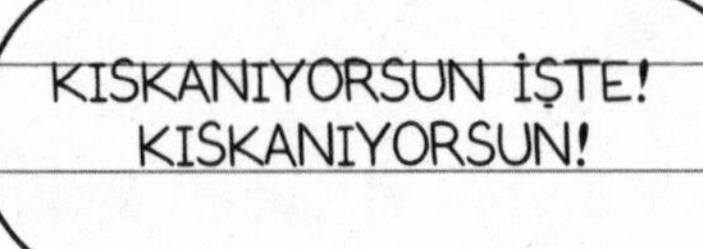

Keşke Rowley'e ağzıma geleni söyleyebilseydim ama YAPAMAM çünkü yıl boyunca okulda beni idare etmesi konusunda ona güveniyorum.

İngilizce dersimize Bay Blakely geliyor ve bütün ödevlerimizi el yazısıyla yazmamızı istiyor. Ama uzun süre el yazısı yazınca elim çok ağrıyor. Ben de benim yerime yazdığı her sayfa karşılığında Rowley'e bir fıstık ezmeli gofret ısmarlıyorum.

Ama eğer şimdi KENDİ ödevlerimi kendim yazmaya başlarsam, bu ödevlerdeki el yazısı daha önceki ödevlerdekiyle aynı olmayacak. Bay Blakely de her şeyi anlayacak.

Bu yüzden en azından el yazısı tıpkı ona benzeyen ve fıstık ezmeli gofret seven başka birini bulana kadar, Rowley'e bağımlıyım.

Ama şu Abigail durumu ile ilgili en büyük sorun İngilizce ödevleri değil, okul yolu. Eskiden sabahları Rowley ile buluşurduk. Oysa artık Rowley, Abigail'in mahallesine gidiyor ve okula kadar onunla yürüyor.

Bu İKİ nedenle sorun oluşturuyor. Birincisi, Rowley ile benim bir anlaşmamız var. Rowley önden yürüyor ve kaldırımdaki köpek pisliklerini kolluyor. Bu anlaşma BİRKAÇ KEZ benim hayatımı kurtardı.

Kafayı Rowley ile bana takan bir köpek var. O köpeğin evinin önünden geçerken dikkat kesilmek zorunda kalıyoruz. Asi adında acımasız bir Rottweiler. Eskiden bahçeden fırlayıp bizi okula kadar kovalıyordu.

Asi'nin sahibi, onun serbest kalmasını engellemek için elektrikli tel yaptırmak zorunda kaldı. Artık Asi bizi kovalayamıyor çünkü ne zaman bahçeden dışarı bir adım atmaya kalkacak olsa, tasmasından şok yiyor.

Rowley ve ben, Asi'nin elektrikli tasmasını öğrendiğimizden beri, onunla dalga geçiyorduk.

Ama Asi, tasması sınır çizgisini geçmediği sürece şok yemediğini keşfetti.

Eğer Rowley önden gidip etrafı kollamasaydı, şimdiye kadar mutlaka Asi'nin mayın tarlalarından birine basmıştım.

Rowley'in okula benimle gitmemesinin bir diğer kötü tarafı da, yıl ilerledikçe, öğretmenlerin bizi ödeve boğmaları.

Bu, her gün hemen hemen bütün kitap ve defterlerimi yanımda götürmem gerektiği anlamına geliyor.

Benim bedenim, o kadar ağırlığı taşıyacak güçte değil. Ama Rowley resmen yük hayvanı gibi. Bu yüzden ONUN için hiç sorun olmuyor.

Ne yazık ki Rowley, Abigail'in kitaplarını taşımasına yardım etmek konusunda da pek hevesli. Bu da, Abigail'in Rowley'le birlikte olmasının tek nedeninin onu KULLANMAK olduğunu düşünmeme yol açıyor.

Ve Rowley'in iyi bir arkadaşı olduğum için, bu benim ağırıma gidiyor.

Salı

Kitap sorunuma çok güzel bir çözüm buldum. Bu sabah, babamın seyahate çıkarken kullandığı tekerlekli çantayı aldım ve bütün eşyalarımı hiç terleyip yorulmadan taşıdım.

Okula oldukça da erken vardım. Ama bunun nedeni biraz da Bay Sandoval'ın evinin önünden geçerken çok hızlı yürümemdi.

Bay Sandoval, kar fırtınalarından önce evinin önündeki yolun iki tarafına sırıklar dikiyor. Böylece karları küreyen kişi kaldırımın yerini saptayabiliyor.

En son kar yağdığında, Rowley ve ben sırıkları söktük ve bunlarla oynamaya başladık.

Ama sanırım sonra sırıkları doğru yerlerine dikememişiz. Bay Sandoval'ın kapısının önündeki karları küremeye gelen adam on metre kadar saptı.

Bay Sandoval o zamandan beri Rowley ile beni yeniden evinin önünde görmeyi bekliyor. Böylece bizi içeri davet edebilecek. Ama henüz bu konuşmaya hazır değilim. Hele tek başıma olduğum sürece ASLA!

Okulla ev arasındaki tek tehlike Bay Sandoval değil gerçi.

Büyükanne'nin sokağında yol yapım çalışması başladığından beri, eve doğru yürürken yolumuzu değiştirmek zorunda kalıyoruz. Bu da bizim Mingo çocuklarının oyun oynadıkları korudan geçmemize yol açıyor.

Mingo çocukları hakkında çok fazla şey bilmiyorum. Hiçbirini okulda görmedim. Bu yüzden tek bildiğim, yabani hayvan sürüsü gibi koruda yaşadıkları.

Mingo kabilesinde anne baba ya da yetişkinler var mı, ondan da emin değilim. Liderlerinin Meckley adındaki, sürekli atlet giyen ve dev bir metal tokası olan kemer takan çocuk olduğunu duydum.

MECKLEY MINGO

Bir keresinde Rowley ve ben koruya fazla yaklaştığımızda, Mingo çocuklarından biri çıkmış ve bizi uyarmıştı.

Ne demek istediğini pek anlamamıştım ama eğer işin içinde Meckley'in kemer tokası varsa, orada biraz daha oyalanıp öğrenmek istemiyordum.

Artık eve kadar tek başıma yürüdüğüm için, Mingo'ların korusuna yaklaştığımda, yolun öbür tarafına geçiyorum. O tarafta kaldırım olsaydı, bu sorun olmayacaktı. Babamın tekerlekli çantasıyla orada yürümek zor oluyor.

Annem, Rowley ile benim son zamanlarda pek birlikte takılmadığımızı fark etti. Bunu fazla kafaya takmamamı, çocukluk arkadaşlıklarının birçoğunun sonsuza dek devam etmediğini, Rowley ile benim de yıllar içinde nasıl olsa ayrılacağımızı söylüyor.

Of, umarım bu doğru değildir, çünkü bence çocukluk arkadaşlıklarımı korumam önemli. Böylece ileride birileri ne kadar yol katettiğimi görebilir.

Annemin bana arkadaşlıkla ilgili öğütler vermek konusunda yetkin olduğundan emin değilim. Çünkü erkeklerin arkadaşlıkları, kızların arkadaşlıklarından tamamen farklı. Bunu biliyorum çünkü Pijama Partisi Dostları dizisinin bütün kitaplarını okudum.

Siz beni yargılamadan ve bu kitapların kızlar için olduğunu söylemeden önce, bunları okumaya başlamamın nedenini açıklayayım: Bir keresinde Sessiz Okuma dersi için yanımda kitap götürmeyi unutmuştum, öğretmenin yanında da yalnızca Pijama Partisi Dostları vardı. Bu serinin bir kitabını okuyunca, devamını okumadan edemiyorsun.

Seride yüz kitap filan olmalı. İlk otuz kitap harikaydı ama sonra sanırım yazar konu bulma sıkıntısı çekmeye başlamış.

Her neyse, Pijama Partisi Dostları'nda, iki arkadaş ufak tefek meseleler yüzünden sürekli kavga ediyorlar.

Ama bir süre sonra ortalık sakinleşiyor ve kızlar arkadaşlığın gerçek anlamını öğreniyorlar.

Pijama Partisi Dostları serisinin her bir kitabında konu temel olarak bu şekilde gelişiyor. KIZLAR arasında durum böyle olabilir ama ben şahsen söyleyeyim, ERKEKLER arasında durum kesinlikle böyle değil.

Erkekler arasında meseleler bu kadar karmaşık değil. Örneğin diyelim ki bir erkek, başka bir erkeğe ait bir şeyi bozdu ama tamamen kaza sonucu. Beş saniye sonra, herkes hiçbir şey olmamış gibi hayatına devam eder ve her şey normale döner.

Bu, erkeklerin kızlardan daha sığ oldukları anlamına mı geliyor, bilmiyorum ama neyse ne... BİZİM meseleleri halletme biçimimizin çok daha az zaman ve enerji gerektirdiğini BİLİYORUM.

Cuma

Bunu söylemekten nefret ediyorum ama annemin Rowley ve benimle ilgili tahmini doğru çıkmaya başladı.

Abigail ve Rowley çıkmaya başladıklarından beri, Abigail bizim masamızda oturuyor. Sadece erkeklerin olduğu bir masada! Onun çikolatalı sütle baloncuk yapmaya filan pek meraklı olmadığını söylemiştim zaten. Ama sevmediği DAHA BİR SÜRÜ şey var.

Bunlardan biri Beş Saniye Kuralı. Masamızdaki bütün oğlanlar, bir yiyecek parçasını yere düşürdüğünde, beş saniye içinde yerden alman halinde, bunu yemende bir sakınca olmadığını kabul ediyorlar.

Şimdi yeni bir uygulama daha başladı. Yere düşen yiyeceği, DÜŞÜREN SEN OLMASAN da alabiliyorsun. Ben daha şimdiden bu şekilde iki parça çikolatalı kurabiye ve bir çikolata kaybettim.

Gerçi bu kural başka sorunlara da yol açtı. Dün, Freddie Harlohan yerdeki bir parça jambonu Carl Dumas'ın düşürdüğünü sanarak aldı. Ama aslında jambonu oraya düşüren, bizden ÖNCE o masada yemek yiyen gruptan biriydi.

Hatta jambon DAHA DA önceden orada kalmış olabilir çünkü Freddie kusmaya başladı ve günün geri kalanını revirde geçirdi.

İçimden bir ses, Abigail'in daha önce oturduğu masada, ya da KIZLAR masalarının hiçbirinde Beş Saniye Kuralı'nın geçerli olmadığını söylüyor. Onların Kızarmış Patates Cumaları'nın da olmadığına bahse girerim.

Cuma günleri yemekhanede hamburger çıkıyor. Ama hamburger köfteleri gri ve ıslak sünger tadında oluyor. AYRICA bildiğimiz sıradan patates kızartması yerine elma dilim patates kızartması veriyorlar.

Ama Nolan Tiago'nun annesi kütüphanede yarı zamanlı olarak çalışıyor ve her Cuma Nolan'a köşedeki hamburgerciden bir peynirli burger ile kızarmış patates getiriyor.

Nolan kızarmış patateslerini yiyor ama bizim de poşetin içine dökülenleri yememize izin veriyor. Çocuklar, birkaç soğuk kızarmış patatesin üzerine resmen üşüşüyorlar.

Sonunda birilerinin yaralanmasını engellemenin tek yolunun kızarmış patatesleri eşit olarak bölmek olduğuna karar verdik. Onları eşit olarak bölüp pay etmesi için Alex Aruda'yı görevlendirdik.

Hepimizin gözü, kendisine daha fazla pay almasın diye, Alex'in üzerinde oluyor.

Bazı çocuklar kızarmış patateslerini bir lokmada yutuyorlar. Ama ben, çabuk bitmesin diye, kendi patatesimi kemire kemire yiyorum.

Ancak kaç kızarmış patatesimiz olursa olsun, yetmiyor. Bugün poşette yalnızca ÜÇ kızarmış patates vardı. Biz de onları ona bölmek zorunda kaldık.

Bunun üzerine iki çocuk, sırf Nolan'ın nefesindeki kızarmış patates kokusunu koklamak için ona para vermek zorunda kaldılar. Sanırım Abigail bu olaydan sonra nihayet oturacak başka bir yer bulmasının daha iyi olacağına karar verdi.

Abigail başka bir masaya geçerken, Rowley'i de beraberinde götürdü. Ama bana göre hava hoş, çünkü bu bize daha fazla kızarmış patates kalacağı anlamına geliyor.

Abigail ve Rowley Çiftler Masası'na geçtiler. Burası kafeteryada, oturacak yer olan tek masa. Sevgililer Günü Balosu'ndan sonra, bizim sınıftaki hemen hemen bütün çiftler ayrıldılar. Bu yüzden Rowley ve Abigail kendilerine yer bulmakta zorlanmadılar.

Çiftlerin kendilerine ait bir masasının olmasının nedeni, başka hiç kimsenin onların etrafında olmaya dayanamaması. Ben kendi adıma söyleyeyim, üstüne para verseler oturup her gün Abigail'in Rowley'e puding yedirmesini izleyemem!

Rowley ve Abigail bizim masadan kalkar kalkmaz, onlardan boşalan yere iki oğlan oturdu. Öğle yemeklerinde kafeteryada hepimize yetecek kadar yer olmadığından, yer kapmak için kuyruklar oluşuyor.

Eğer okulun ilk günü yer kapamadıysan, şanssızsın demektir. Eylülden beri bekleyen çocuklar var ve büyük olasılıkla okulun son gününe kadar da bekleyecekler.

Ben yer kaptığım için kendimi şanslı hissediyorum çünkü bunu yapamayanlar buldukları herhangi bir yere oturmak zorunda kalıyorlar.

Kuyruğun ortalarındaki çocuklar yer bulma umutlarını kaybettiler, bu yüzden bazıları kuyruktaki yerlerini daha arkalardaki çocuklara satmaya başladılar. Brady Connor'ın on beşinci sıradaki kendi yerini beş dolar ve bir dondurma karşılığında Glenn Harris'e sattığını duydum.

Ne yazık ki kuyruğun en önündeki iki çocuk Earl Dremmell ve ikiz kardeşi Andy idi. Abigail ve Rowley'in yerine onlar oturdular. Earl ve Andy'nin yemekten hemen önce Beden Eğitimi dersleri var ve onlar da tıpkı benim gibi duş alıyormuş numarası yapıyorlar.

Bir grup oğlanla aynı masada oturuyor olsam bile, onların hiçbirine gerçek ARKADAŞIM diyemem. Çünkü yemekten sonra teneffüse çıktığımızda, hepimiz ayrı yönlere dağılıyoruz.

Eskiden teneffüslerde Rowley ile takılırdım ama artık o günler geride kaldı. Benim kendi başıma yol alma zamanım geldi galiba ama sorun şu ki nereye gideceğimi bilmiyorum.

Bir kere, oyun parkında gözümün üzerlerinde olması gereken çocuklar var.

Birkaç yıl önce, annem sınıf arkadaşlarımın büyük bir kısmını doğum günü partime davet etmişti. Ama benim yeterince oyuncağım olduğunu düşünmüş ve bunu da davetiyede belirtmişti.

Genellikle, doğum gününüzde hediyeleri açtığınızda, diğer bütün çocuklar kıskanırlar. Ama BENİM partimde, sanırım insanlar bana acıdılar, o kadar.

Ne yazık ki annemim fikri bizim mahalledeki BAŞKA anneler tarafından da benimsendi. Artık ne zaman teneffüste elinde yeni bir kitapla dolaşan bir çocuk görsem, kendimi kollamak zorundayım.

Bir de Leon Feast ve ÇETESİ var. Birkaç yıl önce bir yaz onlarla aramızda bir mesele olmuştu. O zamandan beri aramızda kan davası var.

Bir gün Rowley ile birlikte basketbol sahasında bisiklete binmek için okula gitmiştik. Birkaç dakika sonra Leon ve arkadaşları da orada bittiler.

39

Bizden orayı terk etmemizi istediler çünkü kendileri basketbol oynayacaktı.

Leon'a bir anlaşma yapabileceğimizi, sahanın yarısının basketbol oynayabilmeleri için onlara, yarısının da bisiklete binebilmemiz için bize ait olabileceğini söyledim. Ama bu fikirden hoşlanmadılar ve bizi bir güzel sepetlediler.

Eve dönerken, bizi öyle kovaladıkları için çok öfkeliydim. Bu konuda bir şeyler YAPMAK istiyordum. Birkaç gün sonra, annem imdadıma yetişti. Beni "Süper Kahraman Eğitim Akademisi"ne kaydettirmesini isteyip istemediğimi sordu. Broşürü gösterdi, hemen kabul ettim.

Süper Kahraman Eğitim Akademisi'nden mezun olmak ve Leon ile çetesine günlerini göstermek için sabırsızlanıyordum.

Rowley'in annesi de onu kaydettirdi. İkimiz de çok heyecanlıydık. Ama ilk gün, her şeyin bir düzmece olduğunu anladım.

Bir kere, Süper Kahraman Eğitim Akademisi, sıradan bir spor salonuydu. Bir binanın altına gizlenmiş mahzen gibi bir yer filan değildi. Sonra "süper güç" kısmının da şaka olduğunu keşfettim.

Böylece annelerimiz keyiflerine bakarlarken, Rowley ve ben bütün bir hafta boyunca bir kampta tıkılıp kaldık. Sonunda bize maske, kostüm filan da vermediler. Ellerimize aptal sertifikalar tutuşturdular, o kadar.

Greg Heffley

Örnek davranışlar sergilediği için

BİR

Süper Kahraman

Birkaç hafta sonra yine bisikletlerimizle okula gittik. Tabii ki Leon ve arkadaşları da basketbol sahasındaydılar. Ama sanırım Rowley'i "süper kahraman" eğitiminin beş para etmediği konusunda önceden uyarmalıydım.

Leon gibi uzak durmam gereken tipler dışında, teneffüste birlikte takılan birkaç farklı grup daha var. Ama hiçbirine dahil olabileceğimi sanmıyorum.

Çocuklardan bazıları bir kart oyunu oynuyor. Bazıları da yalnızca birlikte oturup kitap okuyor.

Bunun dışında sahada oyun oynayan bir grup var. Birkaç ay önce, okul topla oynanan oyunları yasakladı çünkü çok fazla çocuk yaralanıp sakatlanıyordu.

Bunun üzerine çocuklar içlerinden birinin AYAKKABISINI top olarak kullandıkları bir oyun icat ettiler. Ama bana oyunun amacının ne olduğunu sormayın.

Erick Glick, arkadaşlarıyla birlikte okulun arka tarafında, öğretmenlerin onları göremeyeceği bir yerde takılıyor. Eski bir kitap raporu ya da ödev satın almak istediğinde, konuşman gereken kişinin Erick olduğunu duydum.

KIZLAR da gruplar halinde takılıyorlar. Bir grup okulun yan tarafında ip atlıyor, başka bir grup da biraz ileride seksek oynuyor. Bu iki grubun pek iyi anlaşamadığını duydum ama meselenin ne olduğunu bilmiyorum.

Size hangi gruba katılmak İSTEDİĞİMİ söyleyeyim. Kafeteryanın kapısına yakın bir yerde duran ve gelip geçen herkes hakkında dedikodu yapan kızlar.

Daha önce bu grubun arasına sızmaya çalıştım ama dışarıdan gelenleri pek hoş karşılamadıkları çok açıktı.

Kızlarla erkeklerin birlikte takıldıkları tek yer, oyun parkı. Bazı çocuklar, Kızlar Erkekleri Kovalıyor oynamaya başladılar. İlkokuldayken amma oynanırdı bu oyun!

Yıllar içinde ben de Kızlar Erkekleri Kovalıyor oyununa katılmaya çalıştım ama kızların çoğu yalnızca Bryce Anderson gibi POPÜLER erkekleri kovalama derdindeydi.

Kızlar Erkekleri Kovalıyor oyunu sırasında biri bağırıyor ve oyunu tersine çeviriyor.

Bu, zil çalana ve sınıflara girme vakti gelene kadar böyle devam ediyor.

Oyunun tek kötü tarafı, birini YAKALADIĞINDA ne yapman gerektiğinin söylenmemesi. Beşinci sınıftayken bir gün Erkekler Kızları Kovalıyor oynuyorduk ve ben de Cara Punter'ı yakalamıştım.

Cara beni oyun parkı gözlemcisine şikâyet etti. O da beni teneffüsün geri kalanı boyunca duvarın dibinde oturttu. Okulun VELİME de haber verdiğinden eminim.

Sanırım okul, bazı çocukların teneffüslerde diğer çocuklarla kaynaşma konusunda sorun yaşadığını fark etti. Birkaç hafta sonra, bahçede bir Arkadaş Bulma köşesi oluşturdular.

Arkadaş Bulma Köşesi'nin saçma bir fikir olduğunu düşünmüştüm hep ama bugünlerde pek fazla seçeneğim yok gibi.

İnsanlar mavi ışığı fark etmediler mi yoksa herkes Kızlar Erkekleri Kovalıyor oyunuyla çok mu meşguldü bilmiyorum; ama kimse gelmedi. Bay Nern halime acımış olmalı ki bir dama kutusuyla yanıma geldi.

Bu hiç yoktan iyiydi herhalde. Ama umarım Bay Nern bunu alışkanlık haline getirmez.

Çarşamba

Küçük kardeşinin bile senden çok arkadaşı varsa, durumun pek parlak olmadığını ANLIYORSUN.

Birkaç hafta önce bizim sokağa Mikey adında anaokuluna giden bir çocukları olan bir aile taşındı. Mikey ve Manny de hemen kaynaştılar. İkisi ilk tanıştıkları andan beri, okuldan sonra bütün zamanlarını birlikte geçiriyorlar.

Mikey üzüm suyu içmeye bayılıyor, onu ne zaman görsem, ağzının etrafında üzüm suyundan bir halka var. Bu yüzden de kırk yaşında keçi sakallı bir adam gibi görünüyor.

MIKEY

Mikey ve Manny'nin birlikte yaptıkları tek şey televizyon izlemek.

Bildiğim kadarıyla, ikisi birbirleriyle tek kelime konuşmadılar daha. Ama sanırım ilişkilerinin yolunda gitmesinin nedenlerinden biri de bu.

Bundan daha çılgınca olan bir şey var. BÜYÜKBABAMIN artık bir kız arkadaşı var. Büyükbaba yaşında birinin flört edebileceğini sanmazdım ama anlaşılan yanılmışım.

Belki de şaşırmamam gerek. Babam, Yaşlılar Evi'nde her on kadına karşılık bir erkek olduğunu söylüyor. Demek ki kadınlar Büyükbaba'nın kapısında kuyruğa girip onu böreklerle, pastalarla kandırmaya çalışıyorlar.

Büyükbaba, Darlene adında dul bir kadınla çıkmaya başladı. Bu hafta sonu bize yemeğe geldiklerinde biz de Darlene ile tanıştık.

Rowley ile Büyükbaba'nın aynı anda kız arkadaşlarının olması çok acayip bence!

Tek söyleyebileceğim şey şu: Eğer bundan sonraki nesli bu insanlar yaratacaksa, insan ırkının başı BÜYÜK DERTTE demektir.

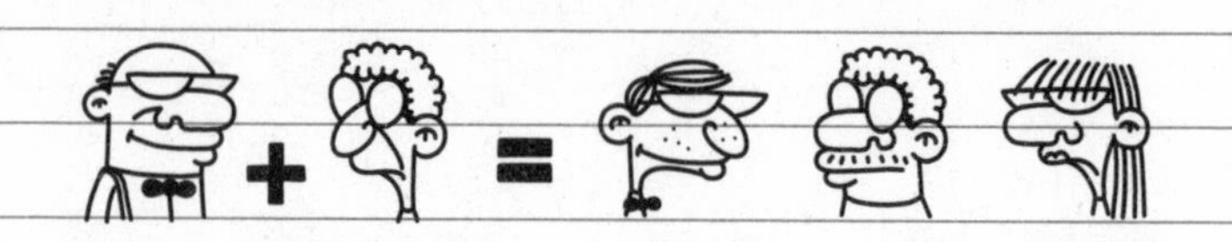

Sosyal hayatımda olup bitenler konusunda anneme hiç açılmamalıydım. Çünkü annem bana yeni arkadaşlar bulmayı kendine görev edindi.

Dün üniversiteden eski oda arkadaşını bize davet etti. Çünkü arkadaşının bir oğlu var ve annem ikimizin "çok iyi kaynaşabileceğimizi" düşünmüş.

Ama annem arkadaşının oğlunun LİSEYE gittiğini söylememişti. Bu yüzden çok garip bir öğleden sonra geçirdik.

Annem son zamanlarda bana okulda yeni arkadaşlar edinmem konusunda ipuçları veriyor.

Onun iyi niyetli olduğunu biliyorum ama verdiği öğütler benim yaşımdaki çocuklar üzerinde HİÇ işe yaramıyor. Örneğin annem karşılaştığım herkese karşı iyi ve kibar davranırsam ününün yayılacağını ve çok geçmeden okulun en popüler çocuğu olacağımı söyledi.

Belki annemin çocukluğunda ve gençliğinde böyle şeyler işe yarıyordu ama çocuklar artık böyle değil. Anneme GÜNÜMÜZDE popülerliğin giydiğin kıyafetlere ve kullandığın cep telefonuna bağlı olduğunu söylüyorum. Ama bunu duymak bile istemiyor.

Okulda "olumlu koşullama"yı teşvik etmek için çalışmalar başlatıldı. Bu yüzden duvarlardaki şiddet ve zorbalık karşıtı bütün afişleri topladılar çünkü bunlar yeni temayla uyuşmuyormuş.

Artık çocukları birbirlerine zalimlik ettikleri için cezalandırmak yerine, birbirlerine İYİ VE KİBAR davranan çocukları ödüllendiriyorlar.

Bir öğretmen seni başka bir çocuğa kibarlık ederken yakaladığında, bir "Kahraman Puanı" alıyorsun.

Belirli sayıda Kahraman Puanı aldığında, bunu teneffüsü uzatmak gibi özel ödüllere dönüştürebiliyorsun.

En çok Kahraman Puanı kazanan kişi, Haziran ayında bir gün izinli sayılıyor.

Aslında bunun çok güzel bir fikir olduğunu düşünüyordum ama tabii insanlar her zaman her şeyi mahvediyorlar. Çocuklar hemen Kahraman Puanları almak için gerçekten iyilik yapıp kibarlık etmek zorunda olmadıklarını fark ettiler. Öğretmenler etraftayken, iyilik ve kibarlık NUMARALARI yapmaya başladılar.

Kahraman Puanları onar sayfalık defterlere basılı halde. Öğretmenler, bir çocuğu ödüllendirmek istediklerinde, sayfalardan birini koparıp ona veriyorlar.

Erick Glick bu defterlerden birini ele geçirmiş ve fotokopisini çekmiş. Böylece okulun her yerinde sahte Kahraman Puanları dolaşmaya başladı.

Erick önce puanları satmaya başladı. Ama sonra çocuklar KENDİLERİNİN de fotokopi çekebileceklerini fark ettiler. Derken ortalıkta üç kuruşa Kahraman Puanları dolaşmaya başladı.

Öğretmenler, sınıfın en haylaz çocuklarının tonlarca Kahraman Puanı'nı teneffüse dönüştürdüğünü görünce şüphelendiler.

Bunun üzerine okul beyaz kâğıda basılı bütün Kahraman Puanlarını geçersiz kıldı ve puanları YEŞİL kâğıda bastılar. Ama insanların yeşil kâğıda fotokopi çektirmeye başlamaları uzun sürmedi. Her şey yeniden en başa döndü.

Okul kâğıdın rengini değiştirdiğinde, yirmi dört saat içinde sahte puanlar basılıyordu. Sonunda okul bir kerede beşten fazla Kahraman Puanı getiren çocukları cezalandırmaya başladı çünkü öğretmenler bunu sahteciliğin kanıtı olarak kabul ediyorlardı.

Ancak BU DA haksızlıktı. Sınıfın en uslu ve kibar çocuğu Marcel Templeton, yasal yollardan otuz beş Kahraman Puanı aldığı halde, ayın geri kalanı boyunca sınıf hapsi cezası aldı.

Sonunda, temizlik görevlisi, çocukların işlerini gizlice yürüttükleri boş bir Fen Bilgisi laboratuvarına aniden girdiğinde, en büyük sahtecilik faaliyetlerinden birini suçüstü yakalamış oldu.

Bunun üzerine okul bütün Kahraman Puanları programını iptal etti. Bu çok kötü oldu çünkü artık teneffüsleri uzatma şansımız yok ve kimse iyi ve kibar bir şey yapmak istemiyor.

Pazar

Sanırım benim yaşımdaki çocukların popüler olmasıyla ilgili söylediklerim annemin içine dert olmuş. Bugün beni giysi alışverişine götürdü.

Genellikle giysi alışverişine hiç DAYANAMAM çünkü biz giysi alışverişini yalnızca okul yılının başında yaparız. Yılda bir kez de BENİM için yetip artıyor.

Hayatım boyunca sıkıcı bir sürü şey yaptım ama HİÇBİR ŞEY enerjimi, okula-dönüş alışverişi kadar tüketmiyor.

Genellikle annem bizi alışveriş için Frugal Freddy adında bir mağazaya götürür. Sanırım bu mağazayı işleten insanlar halden anlıyorlar çünkü kadınlar alışveriş yaparken oturmamız için küçük bir alan ayırmışlar.

Geçen Eylül ayında, annem Rodrick ile beni Frugal Freddy'ye götürdü ve bütün giysilerimizi kendi seçti. Ne yazık ki alışverişi bitirdiğinde, bizi ALMAYI unuttu. Bunu fark ettiğinde, eve varmıştı bile.

Tam üç saat mağazada annemin gelip bizi almasını bekledik.

Ancak bugün alışverişe gideceğim için çok HEYECANLIYDIM. İki pantolon ve üç gömlek aldım. Ama en çok AYAKKABILARIM mutlu etti beni.

Hayatım boyunca Rodrick'in küçülen ayakkabıları bana kaldı. Her defasında da saatlerce ayakkabıların altındaki sakızları kazımak zorunda kaldım.

Bana yalnızca dördüncü sınıftayken yeni bir çift ayakkabı alındı. Annem okulun ilk günü bana spor ayakkabı almıştı.

Ona "Sportgen" markasını daha önce hiç duymadığımı söyledim. Annem de bunların Avrupa'dan geldiğini ve "uzay-çağı teknolojisinde" olduğunu söyledi. Bunun üzerine ayakkabılarımla gurur duyarak okula gittim.

Ama teneffüste iki ayakkabının da lastik tabanı çıktı. Çok mutsuz olmuştum. Eve gidince anneme gösterdim. Annem bana üzülmememi, ayakkabıları mağazaya geri götürüp yenileriyle değiştireceğimizi söyledi.

O zaman annemin ayakkabıları ucuzcudan aldığını ve "uzay çağı teknolojisinin" filan uydurma olduğunu öğrendim.

Bugün annem beni alışverişe götüreceğini söylediğinde, onun benim yalnızca ünlü markalarla ilgilendiğimi bildiğinden emin oldum.

Ama hangi ayakkabıyı seçeceğime karar vermek hiç kolay değildi. Neredeyse bir milyon farklı tür var ve hepsinin farklı üstün özellikleri bulunuyor.

Yürüyüş için, koşu için, kaykay için ve diğer bir sürü şey için özel olarak tasarlanmış ayakkabılar var.

Çok şık bir çift basketbol ayakkabısına bayıldım. Ayakkabıların tabanında daha yükseğe sıçramayı sağlayan bir şeyler vardı. Bu ayakkabıları almayı ciddi ciddi düşünüyordum.

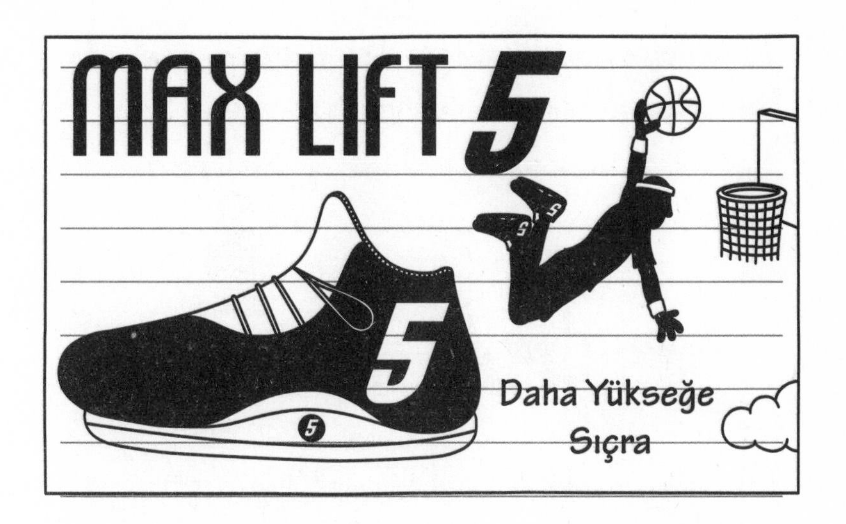

Ama bu ayakkabıları alırsam, okula giderken tamamen kontrolden çıkacağımı düşündüm.

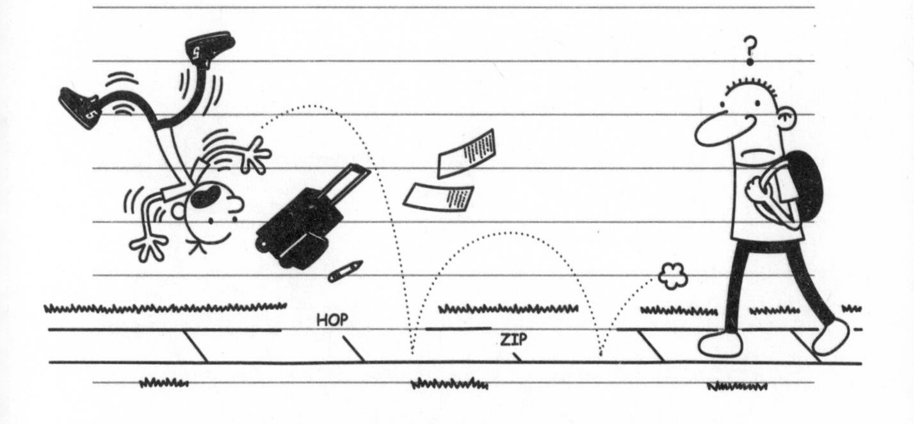

Bir de müthiş görünen bir çift koşu ayakkabısı vardı. Ama kutunun üzerinde bunun "ciddi sporcular" için olduğu yazıyordu.

Bu nedenle, ayakkabıları alırsam benim ayağımda boşa gideceklerini düşündüm.

Tekerlekli ayakkabılardan almak bile geçti aklımdan; böylece her gün Mingo çocuklarının korusunun önünden hızla geçebilirdim.

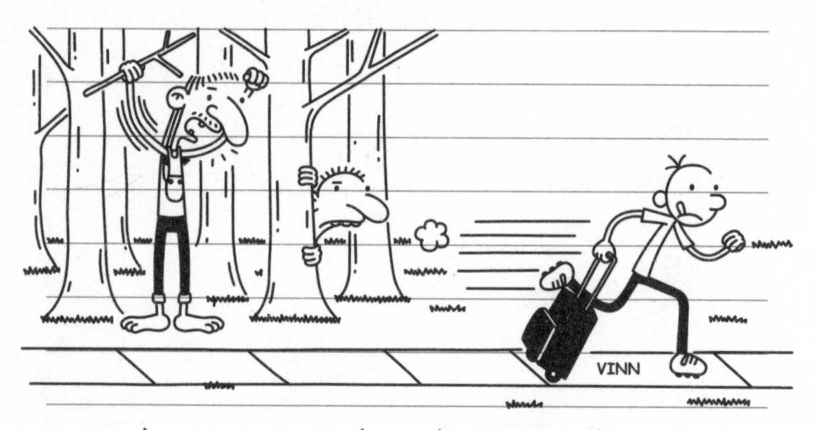

Sonunda spor ama çok uçuk olmayan bir çift ayakkabı satın almaya karar verdim. Annem bunları hemen giymek isteyip istemediğimi sordu ama hayır, yepyeni ayakkabılarımı şimdi giyip kirletemezdim. Önce okulda giymeliydim.

Üstelik bu bana eve giderken yol boyunca gıcır gıcır ayakkabı kokusu almanın keyfini de yaşatacaktı.

Pazartesi

Yeni ayakkabılarım olana kadar yerlerin ne kadar PİS olduğunu fark etmemiştim hiç. Hem de her yer... Sokaklar, kaldırımlar...

Okula giden yol çamur, zift ve diğer pisliklerle bir mayın tarlası gibiydi. Bunlara basmamak için bir Ninja filan olmak gerekiyordu.

Bu sabah evden daha bir blok uzaklaşmıştım ki, gerisin geri eve döndüm. Ayağıma naylon poşetler geçirdim. Bir süre her şey yolundaydı.

Ama bir süre sonra poşetlerin altları yırtıldı ve beni koruyamaz hale geldi. Ben de poşetleri çıkardım ve ilk gördüğüm çöp kutusuna attım.

Ondan sonra tehlikeli bölgelerden kaçınmak için elimden geleni yaptım. Ayakkabılarımın küçük oyuklarına çakıl taşlarının girdiğini fark edene kadar kaldırımda yürüdüm. Bu taşları bir çubukla çıkarmak için DELİLER gibi uğraşmak zorunda kalacağımı biliyordum. Bunun üzerine ayakkabımın tabanının betonla olabildiğince az temas etmesini sağlamaya çalıştım.

Sonunda pes ettim ve çimlerde yürümeye başladım. Okula vardığımda, yirmi dakika geç kalmıştım ama o kadar havalı görünüyordum ki buna değerdi.

Ne yazık ki Coğrafya dersinden habersiz sınav oluyorduk ve ben de diğerlerine yetişmek zorundaydım.

Sınava gireli birkaç dakika olmuştu ki burnuma berbat bir koku geldi. Önce kokunun, genellikle pek hoş kokular salgılamayan Bernard Barnson'dan geldiğini sandım.

Ama bu her zamankinden beterdi. Eşyalarımı alıp sınıfın arka tarafında bir masaya geçtim, dikkatimi sorular üzerinde yoğunlaştırmam gerekiyordu. Ama koku beni TAKİP ETTİ. O anda kokunun GERÇEKTE nereden geldiğini fark ettim.

Çimlerde yürürken köpek pisliğine basmış olmalıydım. Ve bunun TAM OLARAK NEREDE olduğunu biliyordum.

Ayakkabımı çıkardım ve durumumu açıklamak için Bayan Pope'un yanına gittim.

Ama sanırım Bayan Pope benim Coğrafya sınavından kaçmaya çalıştığımı düşündü. Bana bir naylon torba verdi ve ayakkabımı bunun içine koymamı, sonra da gidip yerime oturmamı söyledi.

Bu arada diğer çocuklar olup bitenleri fark etmişlerdi ve halime gülüyorlardı.

Genellikle köpek pisliğine basmak bana da komik gelir ama eğer basan BAŞKASIYSA.

Örneğin Rowley ile Dört Temmuz'da, onun annesiyle babası bizi havaifişek gösterilerini izlemeye götürdüğünde, çok eğlenmiştik. Parkta battaniyemizi serip oturabileceğimiz bir yer bulabilmek için birkaç saat erken gitmemiz gerekmişti.

Polis atlarından biri, herkesin yürüyüp geçtiği anayola kakasını yapmıştı. Biz de bütün geceyi, at pisliğine basmamaya çalışarak yürüyen insanları izleyerek geçirmiştik.

Ne güzel günlerdi... Ama artık geride kaldı!

Sinir oluyorum... Eğer her şey OLMASI GEREKTİĞİ GİBİ gitseydi, bugün okula kadar Rowley ile birlikte yürüyecektik ve o da benim önümden gidip yoldaki tehlikeleri kollayacaktı.

Ama Rowley gidip kendine bir kız arkadaş buldu. Çile çeken ben oldum!

Asi'nin pisliğini bütün sınıfa yaymıştım. Yerleri silmek için Bay Meeks'i çağırmaları gerekti. Bay Meeks bana kötü bakışlar fırlatıyordu. Bu dikkatimi Coğrafya soruları üzerinde yoğunlaştırmamı zorlaştırdı.

Ders bittiğinde, bana yardımcı olup olamayacaklarını sormak için sekreterliğe gittim. Okul sekreteri beni geçici olarak bir ayakkabı bulmak üzere Kayıp Eşya dolabına götürdü. Ama bulabildiğimiz tek şey, bir kız çizmesiydi.

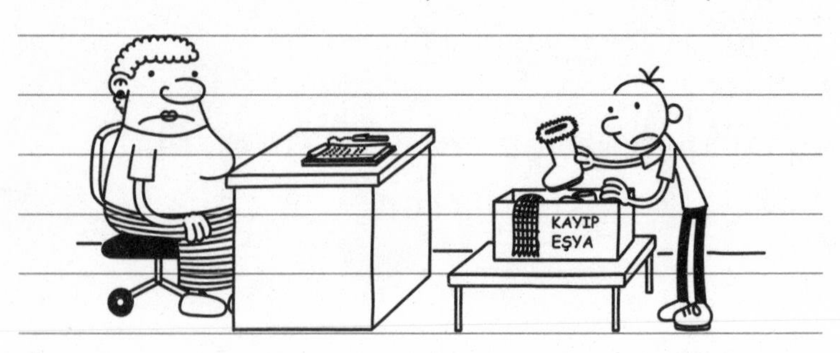

O sırada Bay Nern öğretmenler odasından çıktı ve sekreter ona yedek ayakkabısının olup olmadığını sordu. Bay Nern odasında bir çift ayakkabı olduğunu söyledi ve getirmeye gitti.

Bay Nern'in DEV gibi ayaklarının olduğunu daha önce hiç fark etmemiştim. Ayrıca umarım ayakkabılarını bana ödünç vermesi, her teneffüs onunla dama oynamamı bekleyeceği anlamına gelmiyordur.

Çarşamba

Artık okuldan sonra Rowley ile takılmadığım için, ÇOK daha fazla boş zamanım oluyor. Ama şunu öğrendim: Annene asla yapacak işinin olmadığını söylememelisin.

Ben de evdeki işlerden kaçmak için dışarı çıkıyorum. Annem biraz "dışarı açılmamı", mahallede yeni arkadaşlar bulmaya çalışmamı söylüyor ama benim yaşadığım yer bu açıdan pek bereketli değil.

Birkaç ev ötemizde Lasky çocukları yaşıyor ama ONLARIN eğlenceden anladığı, iç çamaşırlarına kadar soyunup ön bahçede güreşmek.

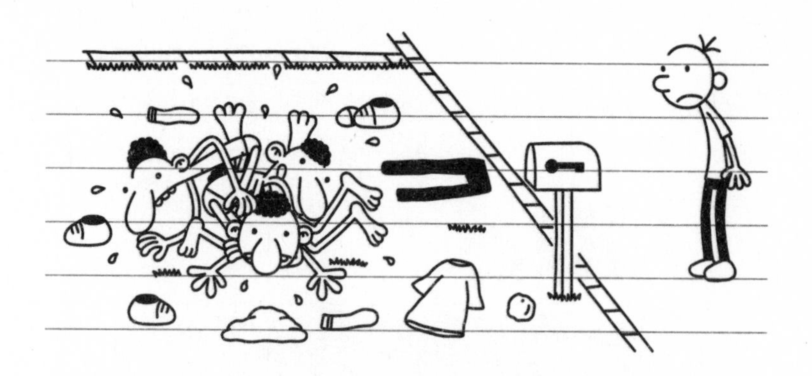

Sokağın karşısında Mitchell Flammer adında bir çocuk oturuyor. Sanırım benden bir ya da iki yaş daha küçük. Ama onun nasıl bir tip olduğu konusunda hiçbir fikrim yok çünkü kendisini motosiklet kaskı olmadan görmedim hiç.

Sağda, birkaç ev aşağıda, Aric Holbert var. Kendisi geçen hafta okula gizlice girdiği ve zarar verdiği gerekçesiyle tutuklandı.

Bunu yapanın kendisi olduğunu inkar etti ama her şey çok açıktı.

Bunların dışında bir de Fregley var. Son birkaç haftadır yaşadığım durumun tek iyi tarafı, Rowley'i görmeye giderken Fregley'lerin evinin önünden geçmek zorunda kalmamam.

Ne yazık ki annem sürekli Fregley ile benim bir araya gelmemizi sağlamaya çalışıyor. Fregley için üzüldüğünü, onun "yalnız bir çocuğa" benzediğini söylüyor.

Keşke annem böyle şeyler söylemese... Çünkü kendimi suçlu hissediyorum. Zaten Fregley'i her gün oyun parkında görmek YETERİNCE sinirimi bozuyor.

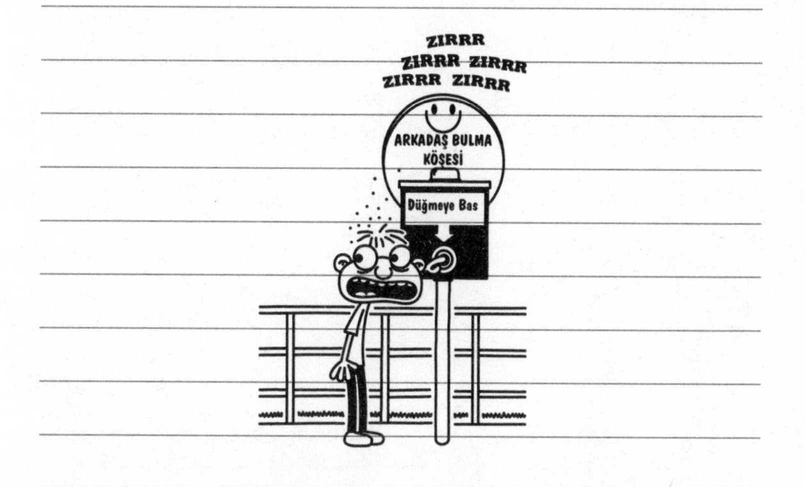

Ama bugün aklıma çılgınca bir düşünce geldi. Fregley ile arkadaş olursam, onu tam istediğim gibi bir arkadaşa dönüştürebileceğimi fark ettim.

Rowley'in sevdiğim taraflarını alabilir ve Fregley'e bunları öğretebilirdim. Ayrıca, Fregley masaya FAZLADAN şeyler de getirebilirdi.

Bizim okulda en popüler öğrencilerin komik birer kankaları var. Bryce Anderson'ın kankası Jeffrey Laffley. Bahse girerim Bryce'ın Jeffrey'i yanından ayırmamasının nedeni, Jeffrey'in komiklikler yaparak onu güldürüp rahatlatmasıdır.

Kızlar bu komik kankalara HİÇ yüz vermezler. Bu yüzden Fregley benim için tehdit de oluşturamaz.

Sadece insanların Fregley'in BİLEREK komiklik yaptığını düşünmelerini sağlamam gerek. Çünkü söz konusu Fregley olunca, bunu anlamak çok zor.

Bugün öğle yemeğinde gidip Fregley'i buldum ve onu masamıza davet ettim. Yer bulma kuyruğunun çok gerilerinde, koridorun erkekler tuvaletine yakın bir yerindeydi.

Neyse ki Fregley çok sıska, onu aramıza sıkıştırabildik. İlk işim ona kuralları açıklamak oldu. Önce Beş Saniye Kuralı'ndan başladım tabii.

Tam ona kendine ait olmayan bir yiyeceğe de sahip çıkabileceğini anlatıyordum ki, Fregley hiçbir şey söylemeden atılıp elimdeki patates cipsini aldı.

Çok kızmıştım. Fregley'e, eğer bu saçmalıklarına devam edecekse, koridordaki yerine geri dönebileceğini söyledim.

Ona ancak birinin YERE DÜŞÜRDÜĞÜ bir yiyeceğe sahip çıkabileceğini açıkladım. Anlamış gibi göründü ve özür diler gibi yaptı. Sanırım bu bir ilerleme sayılabilirdi.

Fregley yemeğini yerken, el yazısının nasıl olduğunu görmek için onun defterine şöyle bir göz attım. Ama ilk sayfadakileri görünce, baktığıma pişman oldum.

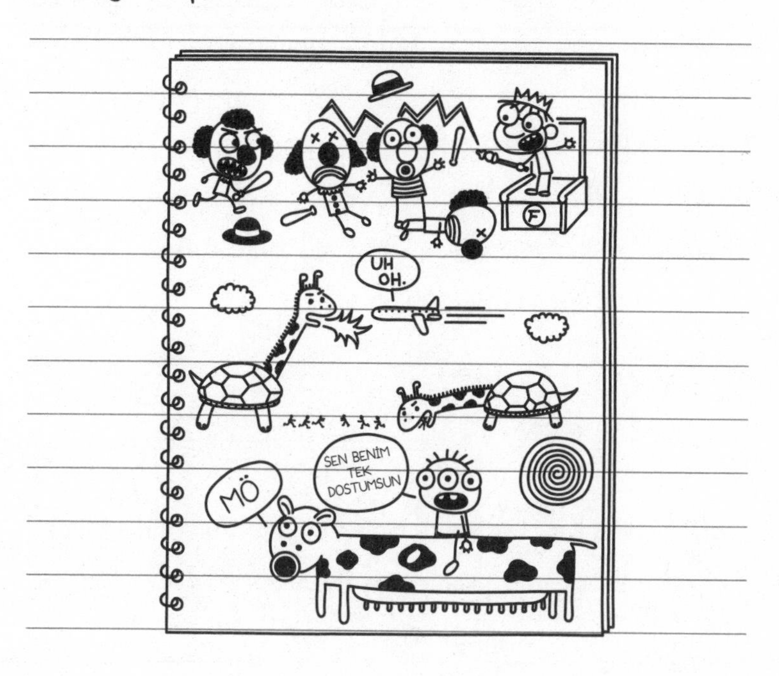

Okuldan sonra Fregley'e benimle eve kadar yürümek isteyip istemediğini sordum. Ona, kendisinin benim önümden gidip köpek pisliklerini kollamasına ihtiyacım olduğunu, zaman zaman da tekerlekli çantamı çekmesi gerektiğini açıkladım. Fregley yardım etmek konusunda hevesli göründü ve her şey son derece yolunda gitmeye başladı.

Ama dikkatim dağınıktı. Mingo çocuklarının korusuna yaklaştığımızda, yolun karşısına geçmeyi unuttum. Aklım başıma geldiğinde, bütün sürü peşimizdeydi.

Sonunda, bizim sokağın başına geldiğimizde onlardan kurtulduk. Ama Fregley bana çantamı verdiğinde bir de ne göreyim... Çantam bomboştu!

Fregley'e defterlerimle kitaplarıma ne olduğunu sordum. Mingo çocukları bizi kovalarken hepsini attığını söyledi. Ona bunu neden yaptığını sordum. Mingo'ların durup kitapları okuyacaklarını ummuş!

Kısacası ilk gün biraz felaket oldu. Ama Fregley benim için uzun vadeli bir proje ve ben de kendimi bu yolda karşılaşabileceğim engebelere hazırlasam iyi olur.

Perşembe

Bu sabah okula Fregley ile birlikte gidecektik ama saat 8:30 olduğu halde hâlâ gelmemişti. Bunun üzerine ben onların evine gidip kapıyı çaldım.

Cevap veren olmadı. Tam tek başıma okula doğru yola koyulmak üzereydim ki içeriden sesler geldiğini duydum. Bir bowling topu merdivenlerden yuvarlanıyordu sanki. Sonra kapı açıldı ve Fregley karşıma çıktı.

Fregley, giyinirken yanlışlıkla tişörtünü ters giydiğini ve içine sıkışıp kaldığını söyledi. Bu durumda onu kurtarmak bana kalıyordu.

Önce biraz rahatsız oldum ama sonra bunun başka insanların KOMİK bulabileceği bir şey olduğunu fark ettim.

Öğle yemeğinde Fregley'i kızların oturduğu masalardan birine götürdüm ve tişörtüyle aynı şeyi yeniden yapmasını istedim.

Ne yazık ki yanlış masayı seçmiş olmalıyız. Kızlardan BİRİ bile kıkırdamadı.

Fregley'e fıkra bilip bilmediğini sordum, bilmiyormuş. Sonra ona hiç numara bilip bilmediğini sordum, bir parça sakız çıkardı.

Tişörtünü çıkardı ve sakızı göbek deliğine koydu. Bu işin sonunun nereye varacağını bilmiyordum. Bu yüzden birkaç adım geriledim. Sonra, yalan söylemiyorum, Fregley sakızı çiğnemeye başladı.

Kızlardan hiçbiri etkilenmiş miydi bilmiyorum ama ben çok etkilenmiştim. Derken Fregley BALON şişireceğini söyledi. Bunu mutlaka GÖRMELİYDİM.

Ama göbek deliğinle balon şişirmenin fiziksel olarak mümkün olmadığını bilmeliydim.

Fregley yeteneği kısa sürede bütün kafeteryada duyuldu. Öğle tatilinin geri kalanı boyunca sınıfımızdaki bütün oğlanlar masamızda toplandılar ve Fregley'in başka neler çiğneyebildiğini görmek istediler.

Masa o kadar kalabalık oldu ki bana bile oturacak yer kalmadı.

Bu yüzden, Fregley spotlar altında olmanın keyfini çıkarırken, ben koridorda sandviçimi yiyordum.

Bu kadar işte. Sen bazı insanlara ne kadar iyi ve kibar davranırsan davran, onlar ellerine geçen ilk fırsatta sana sırtlarını dönüveriyorlar.

Cuma

Okulda bütün bunlar olup biterken ben dört gözle ilkbahar tatilini bekliyorum. Tam doktorların tavsiye ettiği gibi, bir hafta boyunca kafamı dinleyeceğim.

Ama bu gece stressiz bir hafta planım kuş oldu uçtu. Babam anneme bu yıl Paskalya'da ne yapacağımızı sorduğunda, annem kendi ailesinin bizi ziyarete geleceğini söyledi.

Bu haberle resmen YIKILDIM. Babamın da yıkıldığını görebiliyordum.

Annem, kendi ailesinin bizi ziyarete geleceğini ASLA söylemez. Çünkü bizi önceden uyarması halinde, kaçmanın bir yolunu bulacağımızı bilir.

Annemin akrabalarının çoğu çok uzakta yaşıyorlar, bu yüzden onları pek sık görmüyoruz. Bundan hiç şikâyetçi değilim çünkü ne zaman onlarla görüşsem, kendime gelmem epey zaman alıyor.

Eminim birçok aile sorunlar yaşıyordur ama sözkonusu annemin ailesi olunca, biraz fazla dram yaşandığını söyleyebilirim.

Annemin dört kız kardeşi var. Hepsi birbirinden o kadar farklı ki, onların aynı çatı altında büyümüş olmaları çok şaşırtıcı.

Annemin en büyük kız kardeşi Cakey Teyze hiç evlenmemiş, çocuğu da yok. Herhalde bu iyi bir şey çünkü çocukları sevmediği çok belli.

Bir keresinde, ben küçükken, Cakey Teyze bizde kalmaya gelmişti. Annem birkaç saatliğine dışarı çıktı ve beni ona bıraktı. Ama Cakey Teyze'nin daha önce bir çocukla yalnız kaldığını sanmıyorum hiç. Sürekli diken üstünde gibiydi.

Sanırım benim bir şeyleri kıracağımı düşündü; ilk yaptığı şey kırılgan olan her şeyi benim erişemeyeceğim yerlere kaldırmak oldu. Sonra öylece dikildi ve sürekli beni izleyerek hiçbir şeye el sürmediğimden emin oldu.

Bir saat kadar sonra, Cakey Teyze benim uyku vaktimin geldiğini söyledi. Ona artık öğle uykusuna yatmadığımı açıklamaya çalıştım. Ama büyüklere karşı gelmenin kabalık olduğunu söyledi.

Cakey Teyze, kendisinin alt katta çamaşır odasında ütü yapacağını ve birkaç saat sonra gelip beni uyandıracağını bildirdi.

Sonra ışığı söndürdü. Tam kapıdan çıkarken dedi ki:

Ütüye el sürmek hiç aklıma gelmezdi. Ama Cakey Teyze bunu aklıma sokunca, düşünmeden edemedim. Yarım saat kadar sonra, hırsız gibi sessizce aşağı süzüldüm.

Cakey Teyze oturma odasında televizyon izliyordu. Ben de çamaşır odasına girmek için onun yanından geçmek zorunda kaldım.

İçeri girdiğimde, annemin yüksek yerlere erişmek için kullandığı tabureyi çektim ve elimi ütüye bastırdım.

Bunu yaparken NE düşündüğümü sormayın! Sonunda ikinci derece yanığım oldu. Annem de bir daha çocuk bakıcılığı konusunda Cakey Teyze'ye güvenmedi hiç. Cakey Teyze'nin bundan şikâyetçi olduğunu hiç sanmıyorum.

Annemin en küçük kız kardeşi, Gretchen Teyze, Cakey Teyze'nin tam ZIDDI. Gretchen Teyze'nin Malvin ve Malcolm adında ikizleri var ve ikisi de son derece yaramazlar. Hatta öylesine kontrolden çıkıyorlar ki Gretchen Teyze onlara çocuk tasması takmak zorunda kalıyor.

Bir keresinde Gretchen Teyze ve çocukları bize gelirken yanlarında evcil hayvanlarını da getirdiler. Ev hayvanat bahçesine döndü.

Gretchen Teyze birkaç günlüğüne seyahate çıktı. Bizim de onun çocuklarına ve hayvanlarına bakmamız gerekti. Gretchen Teyze'nin dönmesine iki gün kala tavşanı yavrulayınca ve ev bir sürü tavşan yavrusuyla dolunca, ortalık iyice karıştı.

Babam bu durumdan hiç hoşnut değildi. Çünkü Gretchen Teyze bize tavşanının ERKEK olduğunu söylemişti.

Gretchen Teyze'nin evcil hayvanlarına dayanabilirim ama çocukları tam bir baş belası.

Bu ziyaretlerinde Malvin ve Malcolm evin önünde bir taş ya da beton parçasını birbirlerine atarak oyun oynuyorlardı.

Hayatım boyunca bazı aptalca şeyler yaptığımı kabul ediyorum ama O KADAR aptalca bir şey yaptığımı hiç sanmıyorum.

Çok geçmeden, annem Malvin'i alnına dikiş atılması için acil servise götürmek zorunda kaldı. Biz de Malcolm'le ilgilenmek zorunda kaldık.

Annem gidince, Malcolm bir şekilde babamın tıraş takımını ele geçirmiş. Onu bulduğumuzda, artık kimsenin yapabileceği bir şey yoktu.

Babam, eğer bu kez de Gretchen Teyze ve çocukları bize kalacaklarsa, kendisinin bir otele gideceğini söyledi. Ama annem bizim bir aile olduğumuzu ve aile fertlerinin BİR ARADA olması gerektiğini söyleyerek karşı çıktı.

Paskalya tatilinde bize gelmeyecek bir kişi var, o da Veronica Teyze. Kendisi beş yıldır filan aile toplantılarına katılmıyor. En azından şahsen katılmıyor. Sanırım aileyle birlikte olmak onu sıkıyor. Bu yüzden ne zaman büyük bir toplantı olsa, Veronica Teyze görüntülü konuşmayı tercih ediyor.

Üç ya da dört yaşımdan beri onu canlı canlı görmedim.

Bir yaz hepimiz bir kır düğünü için bir araya gelmiştik. Tören iki saat filan sürdü ve hava çok sıcaktı. Veronica Teyze'nin sürekli bilgisayarında oyun oynadığının farkındaydım.

Şu ana kadar sözünü etmediğim tek teyzem Audra Teyze. Kendisi kristal kürelere, burçlara filan inananlardan. Falcısıyla konuşmadan HİÇBİR ŞEY yapmıyor.

Bunu kendi gözlerimle gördüm çünkü birkaç yaz önce iki hafta teyzemin yanında kalmıştım.

Annem, Audra Teyze'nin beni falcı randevularına götürdüğünü öğrendiğinde, pek mutlu olmadı. Bu falcılık işlerinin, kehanetlerin filan kandırmaca olduğunu, Audra Teyze'nin parasını boşa harcadığını söyledi.

Ama içimden bir ses annemin böyle şeyler diyeceğini söylüyordu zaten.

Falcı olmak için nasıl bir eğitim almak gerek bilmiyorum ama eğer çok fazla çalışmak gerekmiyorsa, bu benim için bir kariyer seçeneği olabilir.

Annemin falcılık filan konusunda böyle düşünmesine şaşırıyorum çünkü her zaman Büyükanne'nin BÜYÜCÜ olduğunu söyleyen kendisi. Bunun doğru olup olmadığını bilmiyorum ama eğer doğruysa, bence Büyükanne güçlerini yeterince kullanmıyor.

Doğrusunu söylemek gerekirse, böyle şeylere ben kendim ne kadar inanıyorum bilmiyorum. Sadece şunu söyleyebilirim: Bunların hiçbirinin bana bir faydası olmadı.

Ben sekiz yaşındayken ailece kampa gitmiş ve yolda türlü türlü hediyelik eşyalar satan bir dükkânda durmuştuk.

Babam bana harcamam için üç dolar verdi. Ben de bana uğur getirsin diye bir tavşan ayağı aldım.

Ama o tatilde yemekten zehirlendim ve ayak bileğimi burktum. Bunun üzerine ilk fırsatta tavşan ayağından kurtuldum.

İyi de oldu çünkü o şeyi yanımda taşırken rahatsız oluyordum zaten. Eğer sırf bu tavşan ayağı yüzünden lotodan para filan kazanırsam, bundan gerçekten keyif almayacağımı fark ettim.

Babam ne zaman gazetesini mutfak masasının üzerinde bıraksa, burcumu okuyorum. Ama işime yarayacak hiçbir bilgi olmuyor.

Satürn Jüpiter ile birleştiğinde, hastalıklı gelgitler yaşatacak bir yabancıya dikkat et.
Bu arada, bir zamanlar bir alev taşıdığın insan sana uzaktan hayranlık duyuyor.
Şanslı sayıların 1,2,4,5,7, ve 126.

Şans kurabiyeleri İYİCE işe yaramaz. Eskiden Noel'de şehir merkezindeki Çin restoranına giderdik. Falımı okumak için kurabiyemi heyecanla açardım.

Ama son gittiğimde çıkan fal şu:

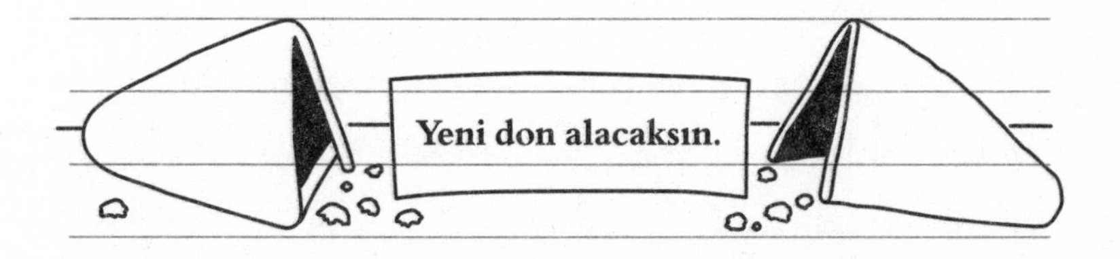

Yani bunu yazan her kimse, birazcık bile kafasını yormamış.

Benim, bana ne yapmam gerektiğini SÖYLEYEN bir şeylere ihtiyacım var, böylece tahmin yürütmek zorunda kalmam. Şimdiye kadar kendi kararlarımı kendim veriyordum ama sonuçtan pek memnun değilim.

Çarşamba

Eskiden annemin ailesinin bize gelmesini dört gözle beklerdim çünkü bu benim için para kazanmanın iyi bir yoluydu.

Bir sene, mutfak masasında resim yapıyordum. Annem bana resimlerimi aile üyelerine satmam gerektiğini söyledi.

İşler HARİKA gitti. Bir ev ya da kaplumbağa resmi çiziyor ve bunu aile üyelerinden birine beş kâğıt karşılığında satıyordum.

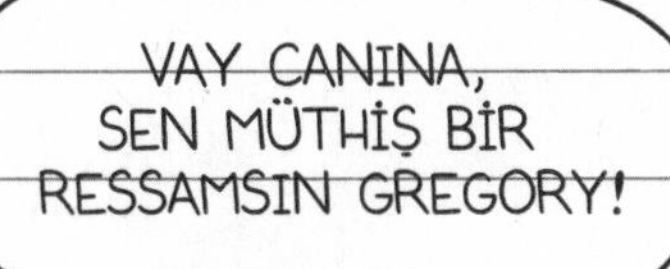

Büyük bir aile toplantısına haftalar kala, elimden geldiğinde hızlı şekilde resimler çizmeye başlıyordum. Akrabalar geldiğinde elimde büyük bir resim yığını oluyordu. Bir Şükran Günü'nde o kadar çok resim çizmiştim ki seksen dolar kazandım.

Sanatımı paraya dönüştürmek o kadar kolaydı ki, bunun hayatımın geri kalanı boyunca devam edeceğini sandım.

Ama yaşım büyüdükçe, resimlerimi gören bazı akrabaların cüzdanlarını çıkarmaları eskisi kadar kolay olmamaya başladı.

Bunun nedeni resimlerimi sürekli aynı insanlara göstermem mi yoksa fiyatları ikiye katlamam mı, hâlâ emin değilim.

Ama Manny resimlerini satmaya başladığında, akrabalar yeniden insan şeklinde ATM'lere dönüştüler.

Şunu söyleyeyim: Ben resim çizerken çok fazla zaman ve çaba harcıyorum. Oysa Manny bir dakika içinde on beş karalama yapıyor ve yarısından çoğunun ne olduğu anlaşılmıyor bile.

Bu da bazı insanların resim konusunda ne kadar zevksiz olduklarını gösteriyor.

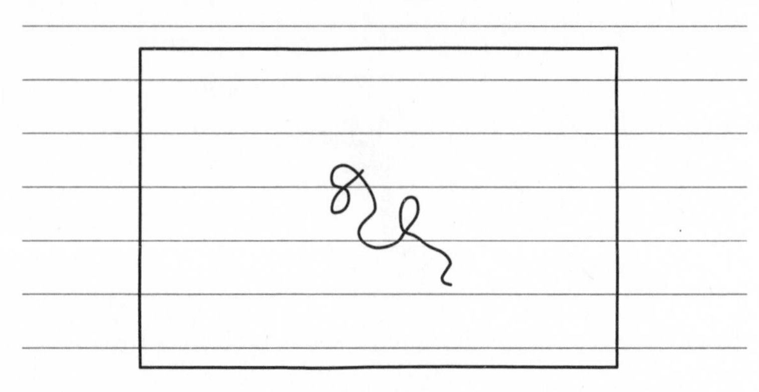

Perşembe

Bu yıl yine Paskalya'yı Büyükanne'nin evinde kutlayacağız. Bu çok fena, çünkü Büyükanne'nin evi hiç çocuk-dostu değil. Evde oyuncağa benzer tek şey, Ellie adındaki fil.

114

Büyükanne, Ellie'yi bir zamanlar bizim olan ama artık onunla yaşayan köpeği Aşki oynasın ve dişlerini kaşısın diye almıştı.

Ama Aşki daha ilk gün Ellie'nin hortumunu, kulaklarını ve bacaklarını kopardı. Artık Ellie'nin bir fil olduğunu anlamak mümkün değil.

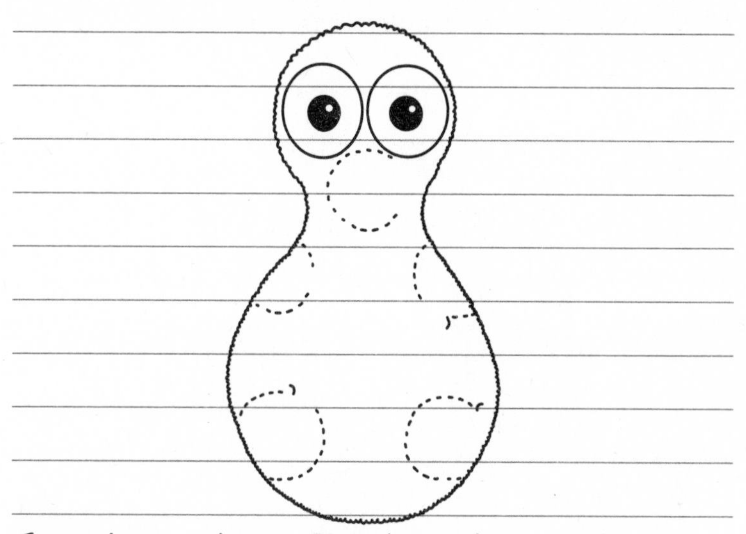

Eğer bir çocuksan, Büyükanne'nin evinde seni eğlendirebilecek tek şey bu. Bir de minyatür bowling lobutu var.

 115

Eğer Aşki eskisi gibi oyunlar oynayabilseydi, Büyükanne'nin evi o kadar sıkıcı olmazdı. Ama Büyükanne ona o kadar çok köpek maması ve yemek artığı yedirdi ki Aşki artık bacakları olan bir deniz topunu andırıyor.

Ayrıca Büyükanne, Aşki'yi insan gibi giydiriyor, bu yüzden sanırım hayvan çok sıkıntıda.

Ne zaman Büyükanne'nin evinde yemek yesek, yine de Aşki'yle eğlenmeye çalışıyoruz.

Bir gece, o uyurken gizlice arkasından yaklaştığınızda ve ağzınızı böğürtlen yer gibi şaplattığınızda, Aşki'nin kulaklarını diktiğini keşfettik.

 116

Bundan sonraki beş dakika boyunca Aşkito kuyruğunu kokluyor ve ardından uyuyor.

Rodrick ve ben bunu defalarca yapıyoruz. Aşki de her defasında aynı tepkiyi gösteriyor. Ama bir gece babam denediğinde, GERİ TEPTİ.

Büyükannenin evi sıkıcı olsa da, Paskalya genellikle çok eğlenceli geçiyor. Büyük Büyükanne Ninecik hâlâ hayattayken, Büyükanne'nin evinde büyük bir Paskalya yumurtası avına çıkardık

Ninecik, Büyükanne'nin annesi idi. Ninecik'e saygısızlık filan etmek istemiyorum ama bir gün torunlarım olursa, bana nasıl seslendiklerini ben belirleyeceğim. Bunu onlara bırakmayacağım.

"Dede", "Büyükbaba" filan gibi sade bir isim seçeceğim çünkü hayatımın geri kalanında gülünç bir takma ada mahkûm olmak istemiyorum.

Eminim büyük büyükbaba da adını değiştirmek isterdi ama artık doksan üç yaşında olduğu için bunun bir anlamı yok.

Her neyse, Ninecik Paskalya yumurtası avının plastik yumurtalarının içine ödüller koyardı. Onları şeker, bozuk para filan gibi şeylerle doldururdu. Arada sırada da beş dolar koyardı.

Sonra yumurtaları Büyükanne'nin evine ve arka bahçesine saklardı.

Paskalya kahvaltısından sonra, bütün çocuklar Büyükanne'nin arka bahçesine dağılırdık ve sepetlerimizi bulabildiğimiz kadar çok plastik yumurtayla doldururduk.

Ninecik, yumurtalar konusunu biraz abartır ve bunları gereğinden fazla gizli yerlere saklardı. Hatta bahse girerim, şimdi Büyükanne'nin arka bahçesine gitseniz, bir sepeti dolduracak kadar yumurta bulabilirsiniz.

Bazen Büyükanne'nin elbise dolabında ya da kanepe minderlerinin arasına sıkıştırılmş bir yerde bir yumurta buluyorum. Birkaç hafta önce Büyükanne'nin tuvaletinin sifonu çalışmıyordu. Babam, su deposunda belki de YILLARDIR orada duran pembe plastik bir yumurta buldu.

Ninecik yaşlandığında, eskisi gibi düşünemez oldu ve plastik yumurtaların içine ödül olarak garip şeyler koymaya başladı.

Bir yıl yumurtalarımın içinde fasulye, şişe tıpası ve ataş buldum. Aynı yıl Manny de kendi yumurtasında diş ipi buldu.

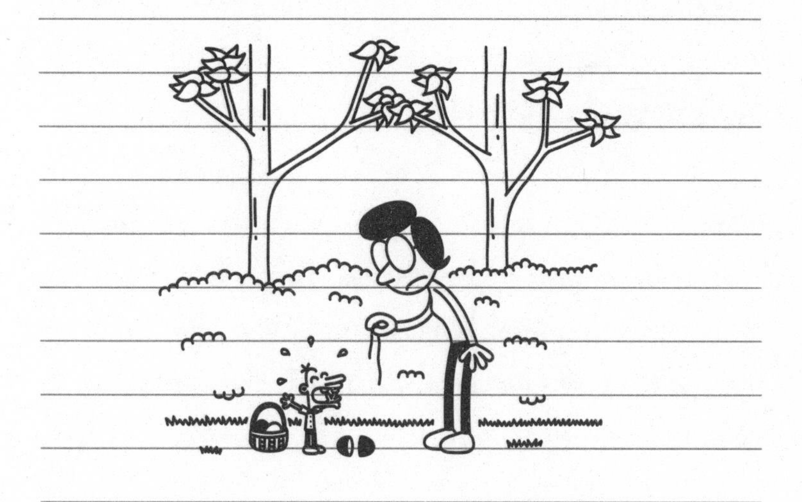

Deneyimlerim sonucu şunu söyleyebilirim: Plastik bir yumurtanın içindeki kullanılmış mendil de beş dolar ile aynı sesi çıkarıyor.

Son Paskalya yumurtası avını, Ninecik'in vefat ettiği sene yaşadık. Cenazede annem, Ninecik'in pırlanta alyansının parmağında olmadığını fark etti.

Herkes paniğe kapıldı çünkü o yüzük üç nesildir aileye aitti. Ve belli ki çok para ediyordu.

Cenazeden sonra, bütün aile Dedecik ile Ninecik'in yaşadığı huzurevine gitti. Her yeri altüst ettiler ama yüzüğü hiçbir yerde bulamadılar.

Bundan sonra her şey iyice çirkinleşti. Büyük Teyze Beatrice, kardeşi Büyük Teyze Martha'yı yüzüğü çalıp cebine atmakla suçladı. Gretchen Teyze, Ninecik'in yüzüğü ona söz verdiğini, bu yüzden eğer biri yüzüğü bulacak olursa mutlaka kendisine vermesi gerektiğini iddia etti.

Bir anda bütün aile birbirinin boğazına sarılmıştı.

İşte en son hepimiz bir araya geldiğimizde bunlar oldu. Belki de bu yüzden o zamandan beri toplanmamışızdır.

Sanırım bu yüzük meselesi annemi çok sarstı. Ninecik'in yüzüğünü kimsenin BULAMAMASINI istediğini, çünkü eğer biri bulacak olursa, ailenin tamamen dağılacağını söylüyor.

Ama eğer bu Gretchen Teyze ve çocuklarının bir daha bize gelmeyeceği anlamına geliyorsa, ben razıyım.

Pazar

Ben her zaman Noel'i Paskalya'ya tercih ederim.

Noel'de, kiliseden eve döndüğün anda heyecan başlar.

Ama Paskalya'da bütün gün kilise kıyafetlerinle dolaşmak zorunda kalırsın. En azından BENİM ailemde öyledir. Bugün kiliseden sonra doğruca Büyükanne'nin evine gittik. Kravatım beni delirtmeye başlamıştı bile.

Herkesin Ninecik'in cenazesinde kaldığımız yerden başlamasından korkuyordum. Ama Büyükanne'nin evine vardığımızda, herkes bunu aşmış görünüyordu.

Akrabalarla dolu bir odaya girerken kendimi bu kadar rahat hissetmemiştim hiç. Bu insanları yılda bir ya da iki kez gördüğümü biliyorum ama o kadar kalabalıklar ki herkesin ADINI hatırlayamıyorum bile. Ama onlar benimle ilgili her şeyi hatırlıyor gibiler.

Her zaman ön girişteki kalabalığı bir an önce geçip kendime çok fazla insanın olmadığı bir yer bulmaya çalışıyorum.

Manny'nin stratejisi, aile toplantılarında konuşamıyor numarası yapmak. Onu kıskandığımı itiraf etmeliyim. Keşke bu fikir UZUN ZAMAN ÖNCE benim aklıma gelseydi.

Pırlanta yüzük patırtısından sonra çok fazla insanın geleceğini sanmıyordum ama bu yıl her zamankinden daha kalabalıktı.

Bu toplantılara her zaman katılan teyze ve dayıların yanı sıra, annemin bir sürü kuzen ve kuzini de oradaydı.

Kuzen Gerald Kaliforniya'dan gelmişti. Kendisi benim doğumumdan sonra birkaç ay bizimle birlikte yaşamış. Ama keşke beni her gördüğünde bunu hatırlatmasa.

SENİN ALT BEZİNİ DEĞİŞTİRİRDİM BEN!

Annemin kuzini Martina da oradaydı. Las Vegas'ta zengin olduğundan beri hiçbir aile toplantısına katılmamıştı.

Duyduğuma göre, bir sabah Martina otelin kahvaltı salonundayken, daha fazla yiyeceğin olduğu başka bir salon fark etmiş.

Tam o salona doğru yürürken, başka bir salon olmadığını anlamış.

Meğer onun içinde bulunduğu odayı yansıtan dev bir ayna varmış.

Martina köprücük kemiğini kırmış ve oteli mahkemeye vermiş. Büyükanne'nin evinin önüne park etmiş olan Porsche'nin ona ait olduğundan eminim.

Larry Dayı da oradaydı. Onun kimseyle akrabalığının olduğunu sanmıyorum ama bir ara biri onu bir toplantıya davet etmiş. O zamandan beri geliyor.

Larry Dayı harika biri filan ama her defasında Büyükanne'nin evinin en güzel yerine yerleşiyor ve gitme vakti gelene kadar da oradan kalkmıyor.

Büyükanne'nin iki kız kardeşi de, birbirlerine hiç dayanamadıkları halde, gelmişlerdi. Her Noel'de birbirlerine hediye veriyorlar ama bence bunu yapmalarının tek nedeni, kimin daha aşağılayıcı bir hediye verdiğini görmek istemeleri.

Paskalya'da Büyükanne'nin evinde üç şey yaparak oyalanabilirsin: Salonda erkeklerle oturup televizyonda golf izleyebilirsin; mutfakta oturup kadınlarla çene çalabilirsin ya da diğer çocuklarla birlikte bodrumda takılabilirsin.

Bu seçeneklerden hiçbiri bana uymuyor. Bu yüzden ben de yemek vakti gelene kadar kendimi tuvalete kapatıyorum.

Paskalya'nın temel olayı kahvaltı. Eskiden bütün aile, yemek odasındaki uzun masada otururdu ama artık aile iyice genişledi ve yetişkinler çocuklar birbirinden ayrıldı. Şimdi yetişkinlerle yemek odasında oturuyorlar, çocuklara ise mutfakta masa hazırlanıyor.

Bu değişikliğe seviniyorum çünkü eskiden birlikte otururken yanıma hep, benim hayatımı benden daha çok merak eden biri düşerdi.

Ayrıca hep birlikte otururken, annem bana sevmediğim şeyleri yedirirdi. Sürekli patates salatasının tadına bakmamı istiyor. Bunu seve seve yapardım, eğer patates salatasını, birimiz grip olduğumuzda kullandığı kâseyle servis etmeseydi.

Her koşulda Büyükanne'nin yemek odasında yemek yemeyi sevmiyorum çünkü ortam ÇOK resmi ve herkes kendini ciddi davranmak zorunda hissediyor.

Birkaç yıl önce, neredeyse bütün yemek boyunca Dedecik'in ağzından yeşil fasulye sarkmıştı. Bu zaten yeterince komikti. Bir de fasulye su bardağına düşünce, kendimi tutamayıp gülmüştüm.

Diğer herkesin de güleceğini sandım ama kimse gülmedi. Babam bana öyle sert baktı ki içimden bir ses başımı öne eğmem ve yemeğimi yemeye devam etmem gerektiğini söyledi.

O zaman beri, ne zaman yemek odasında yemek sırasında komik bir şey olsa, gülmemek için elimden geleni yapıyorum. Bacağımı sıkıyorum ya da dudağımı var gücümle ısırıyorum. Ama bazen bu yeterli OLMUYOR.

Bir sene, Dedecik doğum günü pastasındaki mumları üflemeye çalışırken, takma dişleri ağzından fırladı.

Gülmemek için kendimi o kadar kastım ki damarlarımdan birinin patlayacağını ya da gözbebeğimin filan fırlayacağını sandım.

Üstelik daha az önce kocaman bir yudum çikolatalı süt içmiştim ve ağzımdakini tabağa püskürtmemek için elimden geleni yapıyordum.

Çok acıklı bir şeyler düşünmeye çalıştım ama aklıma küçük kazağı içindeki Aşki'den başka bir şey gelmiyordu. Sonra bir düşünceden diğerine geçtim ve daha fazla dayanamadım.

Şimdi düşünüyorum da, sanırım o olay üzerine çocukların mutfakta yemesine karar verdiler.

Kimin çocuk kimin yetişkin olduğuna nasıl karar verdiklerini bilmiyorum çünkü Cecil Dayı yetişkinlerin masasında oturuyor. Cecil Dayı'nın kulağa yetişkin gibi geldiğini biliyorum ama kendisi daha üç ya da dört yaşında.

Büyük Teyze Marcie onu birkaç yıl önce evlat edindi. Sanırım bu yüzden dayımız sayılıyor. Bu da kimi zaman işleri çok acayip hale getiriyor.

Bence kural şu olmalı: Eğer mama sandalyesinde oturuyorsan, otomatikman yetişkinler masasından diskalifiye olmalısın. Ama Cecil Dayı yetişkinlerle birlikte yemek odasında oturuyor. Rodrick ise artık koskoca adam olmasına karşın çocukların masasında oturmak zorunda kalıyor.

Bugün, Malvin ve Malcolm'dan olabildiğince uzak oturmaya çalıştım ama bu da kuzin Georgia'nın yanına oturmak zorunda olduğum anlamına geliyordu. Georgia'nın ön dişlerinden biri sallanıyor, hatta o kadar gevşemiş ki ağzına iple bağlı neredeyse.

GEORGIA

Onu geçen sefer gördüğümde de dişi böyleydi. Yani aradan YILLAR geçti. Ailedeki herkes dişi çektirmesi konusunda onu ikna etmeye çalışıyor ama Georgia bir türlü kabul etmiyor.

Benim ön dişim sallanmaya başladığında, çektirmekten korkmuştum. Annem HAFTALARCA beni ikna etmeye çalışmıştı ama çok korkuyordum. Sonunda annem dişimin ben uyurken düşmesi halinde onu yutacağımı ve bunun çok tehlikeli olduğunu söyledi.

Ama ben bunun doğru olmadığını biliyordum çünkü önceki hafta Manny benim oyuncak arabalarımdan birini yutmuştu ve hâlâ yaşıyordu.

Bir süre sonra, babam benim sallanan dişimden sıkılmış olmalı ki, meseleyi kendisi ele almaya karar verdi. Bana bir sihir numarası göstermek istediğini söyledi, sonra ön dişime bir ip bağladı. İpin diğer ucunu da kapının tokmağına bağladı. Ben ne olduğunu anlayana kadar iş işten geçmişti.

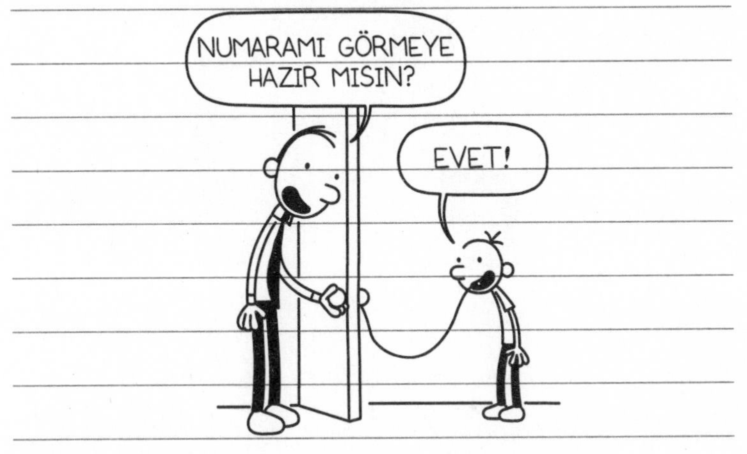

Georgia'nın günde kırk beş dakika diliyle dişini çevirdiğini görünce, salona gittim çünkü Büyükanne'nin iplerinin orada olduğunu biliyordum.

Ama içeri girdiğimde, büyüklerin yarısının orada olduğunu ve Büyükanne'nin albümlerine baktıklarını gördüm.

Bölük pörçük söylenenlerden anladığım kadarıyla, Audra Teyze'nin falcısı, Ninecik'in pırlanta yüzüğünün aile albümlerinden birinde olduğunu söylemiş. Diğer büyükler de bunu duyunca çok heyecanlanmışlar.

Derken biri, falcının yüzüğün RESMEN albümün içinde olduğunu kastetmemiş olabileceğini söyledi. Bunun üzerine herkes bir ipucu olup olmadığını görmek için resimlere bakmaya başladı. Bir dakika sonra, Larry Dayı'nın gözüne bir şey takıldı.

Larry Dayı, herkesin bir araya toplandığı son Paskalya'da çekilmiş fotoğrafları gösteriyordu. Resimlerden birinde, Ninecik'in parmağında pırlanta yüzük vardı, bir sonraki fotoğrafta ise yoktu.

Paskalya yumurtası avına hazırlanırken

Ninecik'in ünlü elma sosu

Yüzüğün nereye gittiğini anlamak için dahi olmaya gerek yoktu. On beş saniye sonra, herkes Büyükanne'nin arka bahçesine koşmuş, Ninecik'in plastik yumurtalarını arıyordu.

Herkes, eğer yüzük bir yumurtanın içindeyse, bulanın onu kazanmış olacağını düşünüyordu sanırım. Annem herkesi tatlı yemek için içeri sokmaya çalıştı ama faydası olmadı.

Akrabalarımın ne kadar açgözlü davrandığını görmek biraz sinir bozucuydu. Ama ben de biraz heyecanlandığımı itiraf ediyorum. Herkes yumurtayı DIŞARDA ararken, ben İÇERDE arıyordum.

Ama annem beni Büyükanne'nin iç çamaşırı çekmecesini karıştırırken yakalayınca, kendimi bu işe biraz FAZLA kaptırmış olabileceğimi düşündüm.

Annemin içine fenalık gelmiş olmalı ki, bize ailece eve döneceğimizi söyledi.

Bildiğim kadarıyla, yüzüğü kimse bulamadı. Çünkü biz Büyükanne'nin evinden uzaklaşırken, birkaç kişi hâlâ aramaya devam ediyordu.

Salı

Genellikle, Gretchen Teyze ve çocukları bizde kaldıklarında, bu bir haftayı bulur. Ama bu kez yalnızca İKİ GÜN sürdü.

Çünkü, dün gece olanlardan sonra, babam onlara gitmeleri gerektiğini söyledi. Akşam yemeğinde ketçabımız kalmamıştı. Malcolm da polisi arayarak bizi şikâyet etmiş.

Annemle babamın polislere her şeyi açıklamaları iki saat sürdü.

Babam, Gretchen Teyze ve çocuklarına kapıyı gösterince, onlar da eşyalarını toplayıp Büyükanne'nin evine gittiler.

Bana kalırsa bundan hiç de şikayetçi değillerdi çünkü böylece yumurtayı arayacak bol bol vakitleri olacaktı.

Gittiklerine sevindim, çünkü onlar gidince ben de yatağıma yeniden kavuştum. İki gece, Rodrick'in odasında uyduruk bir şişme yatakta yatmak zorunda kalmıştım çünkü.

Dün Rodrick'in odasının yerinde uyandığımda, giyinirken yatağın altında bir şey fark ettim.

Şu Sihirli 8 Toplarından (Magic 8 Ball) biriydi bu. Sanırım bir yıl Rodrick'e hediye gelmişti; Rodrick de yatağın altına yuvarlanan topu unutmuştu.

Topu görünce çok heyecanlandım çünkü daha önce hiç oynamamıştım bunlarla.

Sihirli 8 Topu şöyle kullanılıyor: Ona bir soru soruyorsun, sonra onu sallıyorsun ve cevabın arkadaki küçük pencerede belirmesini bekliyorsun.

İŞE YARAYIP YARAMADIĞINI çok merak ediyordum. Bu yüzden denemeye karar verdim. Bir soru düşündüm ve zihnimi bunun üzerinde yoğunlaştırdım. Sonra Sihirli 8 Topu'nu bir güzel salladım.

Birkaç saniye sonra küçük pencerede şu cevap belirdi:

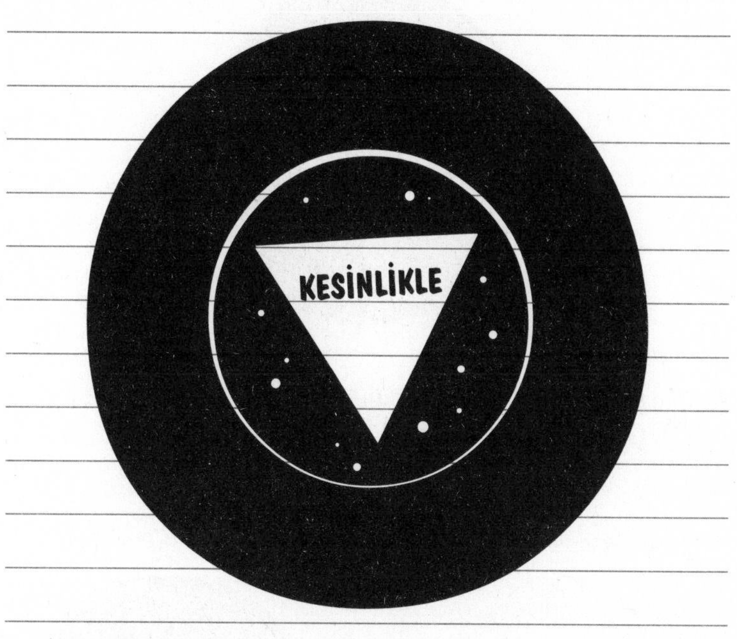

Çok etkilendiğimi söylemeliyim. Ama gerçekleri söylediğinden emin olmak için bu şeye başka sorular da sormalıydım.

Her defasında hedefi on ikiden vuruyordu..

Kandırmaca yapmaya çalıştığımda bile, gayet mantıklı görünen bir cevap aldım.

Sonra bu şeyin yalnızca SORULARI cevaplamak için olmadığına karar verdim. Ondan ÖĞÜT de isteyebilirdim.

Sihirli 8 Topu'na duş alıp almamam ve Fen Bilgisi ödevimi bitirip bitirmemem gerektiğini sordum. Hijyen konusuna "Evet" cevabı aldım ama Sihirli 8 Topu ödev konusundan beni kurtardı.

İşte, hayatım boyunca EKSİK olan buydu. Artık küçük kararlarım konusunda bana yardım edecek bir şey vardı. Bundan sonra ÖNEMLİ meseleler üzerinde yoğunlaşabilirdim.

Bir derste, Albert Einstein'in okulda her gün aynı giysileri giydiğini, bu yüzden beyin gücünü hiç ne giyeceğini düşünerek harcamadığını öğrenmiştik.

Benim için de aynen BÖYLE olacak.

Sihirli 8 Topu'nu bir gün kullandıktan sonra, şimdiye kadar onsuz nasıl yaşadığımı merak etmeye başladım.

Perşembe

Sihirli 8 Topu ile birkaç gün oynadıktan sonra, onun da bazı sınırlarının olduğunu fark ettim. Ama bu şimdilik ondan vazgeçeceğim anlamına gelmiyor. Birkaç kez matematik ödevime yardımcı olması için denedim ama belirli cevaplar verme konusunda pek başarılı olmadığı ortaya çıktı.

Ayrıca, bazen GERÇEKTEN ondan bir cevap alma ihtiyacı duyduğunda, Sihirli 8 Topu seni yarıyolda bırakabiliyor.

Bugün okuldan eve dönerken, Mingo çocuklarından biri elinde sopayla karşıma çıktı. Sihirli 8 Topu'na "Kaçsam mı dövüşsem mi?" diye sordum ve onu bir güzel salladım.

Nedense Sihirli 8 Topu aklını başına toplayamadı.

Ama Sihirli 8 Topu ertesi gün TAMAMEN aklını başına topladı. Annem içerde çok fazla zaman fazla zaman geçirdiğimi, çıkıp biraz hava almam gerektiğini söyledi.

Annem odadan çıkınca, Sihirli 8 Topu'na onun öğüdünü dinlemem gerekip gerekmediğini sordum. Cevabı bundan açık olamazdı.

Bunun üzerine annemin giysi dolabına saklandım. Beni arayacağı EN SON yerin orası olacağını biliyordum.

Orada vakit geçirirken, en üst rafta bir yığın kitap fark ettim.

Kitaplar, ayakkabı kutularının arkasına gizlenmişti. Yani annemin, bunları kimsenin bulmasını istemediği çok açıktı. Önce onun bu kitapları açıkta bir rafa koymak yerine neden dolabın arkalarına tıktığını anlayamadım. Ama başlıkları okuyunca, durumu kavradım.

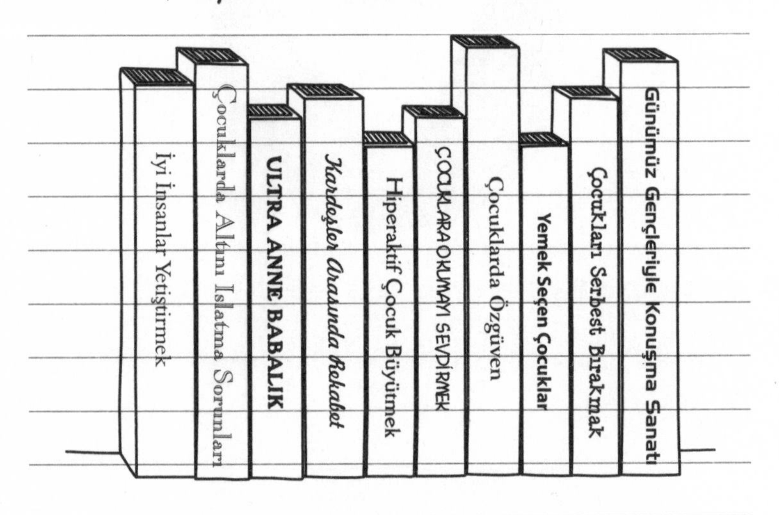

Bu kitaplar belli ki annemin gizli silahıydı ve bizim bundan haberdar olmamızı istemiyordu.

Kitaplardan birkaçının sayfalarını karıştırdım. Bazılarını okurken gözlerim hayretle açıldı. Biri "ters piskoloji" diye bir şeyden söz ediyordu.

TERS

YÜZ

Çocuğa İstediğinizi
Yaptırmak

Bu teoriye göre, çocuğunuza istediklerinizi, bunların TERSİNİ yapmasını söyleyerek yaptırabilirmişsiniz. Şimdi düşünüyorum da, annemle babam ben kendimi bileli bizim üzerimizde bu tekniği kullanıyorlar.

Küçükken, annemle babama bulaşıkları yıkamama izin vermeleri için yalvarırdım ama hep bunun için çok küçük olduğumu söylerlerdi.

Sonunda, sekizinci doğum günümde, bulaşıkları kurulamama izin verdiler. Ben de sanki bana bir milyon dolar vermişler gibi mutlu oldum. Şimdi hepsinin bir numara olduğunu ve Rodrick'in de mutlaka aynı tuzağa düşmüş olması gerektiğini fark ediyordum.

Bir anne ya da babanın çocuğunu büyütürken karşılaşabileceği her durumla ilgili kitap vardı. Hep annemin nereden öğüt ve fikir aldığını merak etmiştim. Artık biliyorum.

Dokuz yaşındayken, evin önündeki basamaklarda bir solucan bulmuştum. Ona Kıvrak adını verdim ve kendisini, kapağında delikler olan küçük bir kavanozda sakladım.

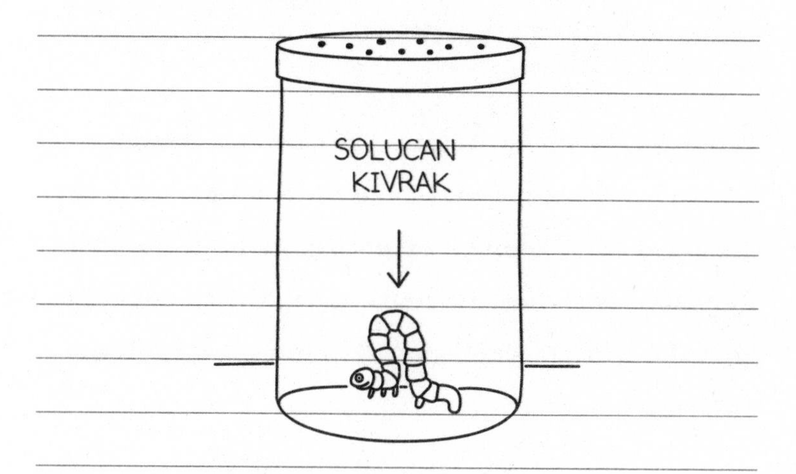

Her gün onu birazcık egzersiz yapabilmesi için kavanozdan çıkarıyordum.

O sıralar Manny yeni yeni yürümeye başlamıştı. Bu da solucan Kıvrak için hiç iyi olmadı.

Çok ama çok üzülmüştüm. O gece annem konuşmak için odama geldi.

Bana üzülmememi, Solucan Kıvrak'ın "Solucan Cenneti"nde olduğunu, Solucan Cenneti'nin her zaman güneşli olduğunu, orada yenecek tonlarca yaprak bulunabileceğini söyledi. İtiraf edeyim, onun bu sözleri kendimi çok daha iyi hissetmemi sağladı.

İşte bugün annemin bütün bu fikirleri NEREDEN aldığını keşfettim.

Annemin rafındaki kitaplardan biri yepyeni görünüyordu. O kitaba baktığımda birçok şey bana daha ANLAMLI gelmeye başladı.

Annemin dolabı bazı başka sırları da açıklıyordu. Anaokuluna giderken her gece birlikte uyuduğum, Gıdık adında bir oyuncağım vardı.

O yaz deniz kenarına tatile gitmiştik, ben de Gıdık'ı yanımda götürmüştüm. Ama bir öğleden sonra oteldeki odamıza döndüğümüzde, Gıdık yoktu.

Annem, temizlik görevlisinin çarşafları toplarken yanlışlıkla Gıdık'ı da götürmüş olabileceğini söyledi. Biz de çamaşır odasına indik ve Gıdık'ın çamaşır makinesinde filan olup olmadığına baktık.

Ama orada da yoktu. Ağlama krizine tutulmuştum. Annem, ilanlar hazırlayıp otelin her yerine asabileceğimi söyledi.

BENİ GÖRDÜNÜZ MÜ?

ADI: GIDIK
BOYU: 30 SANTİM

EN SON NEREDE GÖRÜLDÜ:
OKYANUS OTEL'DE

NEREYE BIRAKILACAK:
OKYANUS OTEL
RESEPSİYONUNA

Ertesi gün kumsala indik ama ben Gıdık yüzünden doğru dürüst eğlenemedim.

Babam panayırlardaki şu oyunlardan birinden oynadı ve benim için, Gıdık'ın yerine geçsin diye bir oyuncak kazandı. Ama Gıdık'ın yerini tutmazdı ki.

Gıdık'ın kaybolması, herkesin tatilini burnundan getirmişti. Bu yüzden eve bir gün erken döndük. O gece hemen uyudum. Ertesi sabah uyandığımda, Gıdık şifoniyerimin üzerinde duruyordu.

Annem, Gıdık'ın beni çok sevdiği için evin yolunu bulup geldiğini söyledi. Ben de uzun süre buna inandım.

Ama annemin kitaplarının arkasında, Gıdık'a tıpatıp benzeyen BEŞ oyuncak maymun vardı.

Demek ki annem, ben maymunumu kaybedince gitmiş ve onun yerine bir sürü maymun almıştı.

Şu anda dolabımdaki rafta duran, Gıdık'in hangi versiyonu kim bilir.

Şimdi düşünüyorum da, bir keresinde annemin Gıdık'i yıkaması gerekmişti çünkü ben sevgili maymunumun üzerine kakaolu süt dökmüştüm. Annem çamaşır makinesinin kapağını açtığında, sanki içeride bir yastık patlamış gibiydi.

Ama o gece ben yıkandıktan sonra, Gıdık yatağımda sanki hiçbir şey olmamış gibi duruyordu. Yani şu anda benim odamda duran Gıdık dördüncü ya da beşinci nesil olabilir.

Bu AYNI ZAMANDA Manny'nin neden her gece on oyuncak dinozorla uyuduğunu da açıklıyor.

Eskiden Manny'nin Dindin adında tek bir dinozoru vardı ama o, annemin yedek oyuncaklar sakladığını benden daha önce keşfetmiş olmalı.

Annemin dolabını biraz daha karıştırmak ve BAŞKA neler bulabileceğimi görmek istiyordum ama annemin üst kata çıktığını duydum ve oradan sıvışmak zorunda kaldım.

Artık annemin çocuk eğitimi kitaplarından haberdar olduğuma göre, herkesten bir adım önde olmalıyım. Bunun için Sihirli 8 Topu'na teşekkür edebilirim.

Salı

Bu gece, annemin kitaplarındaki numaralardan birinin YETİŞKİNLER üzerinde de işe yarayıp yaramayacağını merak ettim.

Ne zamandır annemle babamdan telefon istiyorum ama annem zaten bir telefonumun olduğunu söylüyor. Ama kastettiği, kreşe giden çocukların kullandığı türden, telsize benzer bir şey.

Bu yüzden, bu akşam Rodrick ile birlikte bulaşıkları yıkarken, annemle babam üzerinde ters psikoloji uygulayarak bir hamle yaptım.

Ne beklemem gerektiğini bilmiyordum ama ne kadar çabuk işe yaradığını görünce çok şaşırdım. Çok geçmeden annem odama geldi ve kendisinin telefonunun modelini yükseltmek istediğini, eski telefonunu bana vereceğini söyledi.

Ama telefonu vermeden önce, bazı "kesin kurallar" olduğunu ekledi. Telefonumu Manny ile paylaşmalıymışım çünkü Manny telefonda bazı eğitici oyunlar oynuyormuş.

Arkadaşlarıma mesaj yazmama da izin yokmuş.

Arkadaşlarıma mesaj yazamamak benim için sorun olmayacak çünkü şu anda hiç arkadaşım yok zaten. Telefonu Manny ile paylaşmak ise başka bir mesele.

Manny, annemin telefonuyla resim çekmeye bayılıyor ama ONUN resimlerinin BENİMKİLERLE karışmasını hiç istemiyorum.

Yine de şık bir telefonum olacağı için çok heyecanlıydım.

Telefonun duvar kâğıdını ve melodilerini değiştirerek biraz zaman geçirdim. Ben tam bunu yaparken, Büyükanne'den anneme olduğu belli olan bir mesaj geldi.

Annem, arkadaşlarıma mesaj yazmamın yasak olduğunu söylemişti ama AKRABALAR konusunda bir şey söylememişti.

Üzgünüm onlar bu hs baba-oğul bişiler yapacaklar.

Bunu hallettikten sonra bir sürü oyun indirdim ve oynamaya başladım.

Tam oyunun ortasında, Veronica Teyze görüntülü arama başlattı.

Tuvaletteki özel anlarımda görmeyi beklediğim en SON şey, Veronica Teyze'nin yüzüydü.

Bu yüzden biraz şaşırmış olmam mazur görülebilir herhalde.

Telefonu klozetten çıkardım ve çalıştırmak için elimden geleni yaptım ama fayda etmedi.

Telefonumu mahvettiğim için kendimi kötü hissediyorum ama bir savunmam var. Annemle babamı, böyle bir sorumluluğa hazır olmadığım konusunda UYARMIŞTIM.

Çarşamba

Mingo çocuklarının korusunun önünden her geçişimde hayatımdan endişe etmekten yorulmuştum. Ama o çocukların ortaya çıkmak için okulun dağılmasını beklediklerini fark ettim. Bu durumda en akıllıca hareket onların geri çekilmesini beklemek olacaktı.

Bu da okul çıkışında zaman öldürmek için bir şeyler bulmam gerektiği anlamına geliyordu. Öğrenciler için bir sürü kulüp var ama bugüne kadar hiçbiriyle ilgilenmemiştim.

Matematik Kulübü

Drama Kulübü

Uluslararası İlişkiler Kulübü

Şiir Kulübü

Bugün okuldan sonra kalıp bana uygun bir şey olup olmadığına baktım.

Oyun Kulübü eğlenceli gibi görünüyordu ama başında Bay Nern vardı ve ben bir yıl boyunca onunla yeterince zaman geçirmiştim.

Bir de Yastık Savaşı Kulübü vardı. Ama buluşma yerlerine şöyle bir bakınca, hiç bana göre olmadığını anladım.

Bunun dışında aklımdan bile geçmeyecek kulüpler de var. Bu baharda kurulan Özgür Kucaklaşma Kulübü gibi.

Ne yapacağıma karar vermek çok zordu, ben de kararı Sihirli 8 Topu'na bıraktım. Farklı grupların toplandıkları salonlara gittim ve hangisine katılmam gerektiğini öğrenmek için her birinin kapısına gidip 8 Topu'nu salladım.

Bir sürü "Hayır", birkaç "Daha Sonra Tekrar Sor" cevabının ardından nihayet "Evet, Mutlaka" cevabı geldi. O sırada Yıllık Kulübü'nün kapısındaydım.

İçeri girdiğimde herkes bir toplantının ortasındalarmış gibi görünüyordu.

Toplantıya ara verilene kadar arkada bekledim. Sonra yayın yönetmeni Betsy Buckles'ın yanına gittim ve kulübe katılıp katılamayacağımı sordum.

Yıllığın neredeyse tamamlandığını ama "Gizli Kamera" sayfaları için birkaç fotoğrafa daha ihtiyaç duyduklarını söyledi. Yıllığa girecek her fotoğraf için para da ödeyeceklerini söyleyince kabul ettim.

Hem Mingo çocuklarından kaçmayı başarır hem de para kazanırsam bir taşla iki kuş vurmuş olurum.

Perşembe

Bugün yıllık fotoğrafçısı olarak ilk günümdü ve düşündüğüm kadar kolay geçmedi. Ben ilginç resimler çekmek istiyordum ama doğrusunu söylemek gerekirse, bizim okuldaki çocuklar İLGİNÇ hiçbir şey yapmıyorlar.

Bir yandan işimi yapıp resim çekerken bir yandan da tam zamanlı öğrenci olmaya çalışıyordum ve bu da işleri hiç kolaylaştırmıyordu.

Birinin gerçekten aptalca bir şey yapmasını umuyordum, böylece resmini çekecektim. Ama nedense bugün herkesin usluluğu üzerindeydi. Çekmek için öldüğüm resimlerden biri, Jamer Law'un kafası iskemleye sıkışmış haliydi.

Geçen seneki yıllıkta onun böyle çekilmiş bir resmi vardı. Eğer aynı şeyi tekrar yapacak olursa hazır olmak istiyordum. Bir fotoğrafçının modellerini etkilememesi gerektiğini biliyorum ama en azından onu doğru yöne itebilirdim.

Ne zaman bir yıllıkta ya da dergide bir resim görsem, altında mutlaka bir yazı vardır.

Ben de gün sonunda resimleri teslim ederken, altlarına kısa yazılar yazdım. Böylece Betsy baktığı şeyin ne olduğunu anlayacaktı.

Doug Parker'ın sinir olduğundan eminim.

Otobüsteki salaklar

Trevor Wilson tuvaletten ellerini yıkamadan çıkıyor

Yine mi! Chad Midddleton kanayan burnuyla revire gidiyor.

Günümüzde resimlerin en iyi tarafı dijital olmaları; böylece eğer bir resimde beğenmediğin bir şey varsa, bilgisayarda değiştirebiliyorsun.

Öğle yemeği sırasında çektiğim iki fotoğrafta birileri gözlerini kırpmıştı. Eğer bunu düzeltemeseydim, fotoğraflar HİÇBİR İŞE YARAMAYACAKTI.

Bence her yıllıkta biraz mizah olmalı. Bu yüzden bazı resimleri daha komik olacak şekilde değiştirdim. Umarım Bay Blakely bunları gördüğünde çok kızmaz.

Yıllık fotoğrafçısı olmanın bana büyük güç kazandırdığını da fark ettim.

Yıllıkta kimin yer alıp kimin yer almayacağına ben karar veriyorum. Eğer sinirime dokunan biri varsa, ondan intikam alabiliyorum.

Okul çıkışında Lean Feast'in bir resmini çektim. Bilgisayarda resimle oynarken, Lean'in kafasını %75 küçülttüm. Umarım bu resim editörlerin onayından geçer. Eğer geçerse, her şey Sihirli 8 Topu sayesinde olacak.

Pazartesi

Hafta sonu, yeniden annemin giysi dolabına bakma fırsatım oldu ve annemin çizmelerinin arkasında TULUM BATTANİYEMİ buldum.

Buna inanamıyordum. Kaç aydır bunu arıyordum ve bütün bu süre boyunca annemin dolabındaydı!

Bu tulum battaniyeyi bana geçen Noel'de annemle babam hediye etmişlerdi. Kutuya baktığımda, pek heyecanlanmadığımı itiraf etmeliyim.

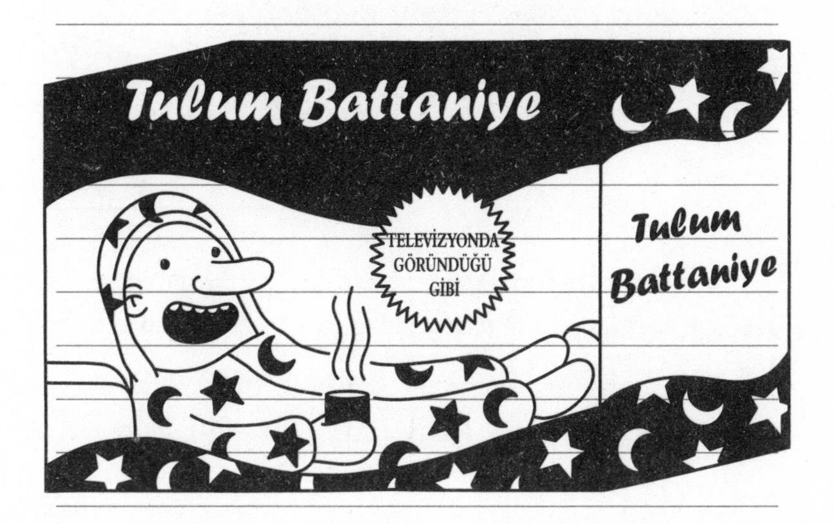

Ama onu denediğim anda her şey değişti. Şunu söyleyeyim, Tulum Battaniye'yi kim icat ettiyse, tam bir dâhiymiş!

Biliyorsunuz, battaniyeye sarınmış bir halde televizyon izlerken, içeceğinizi ya da uzaktan kumandayı almak istediğinizde, ellerinizin serbest kalması için battaniyeyi üzerinizden atmanız gerekiyor.

İşte Tulum Battaniye bu sorunu çözüyor. Aslında bildiğiniz battaniye ama uçlarında eldivenler olan kolları var. Böylece cildinizi soğuk havaya maruz bırakmadan istediklerinizi alabiliyorsunuz.

Tulum Battaniye, pazenden yapılmış. Bu battaniye üzerindeyken, insan kendini sürekli yatakta gibi hissediyor.

RODRICK'e de bir Tulum Battaniye almışlardı. Sanırım o battaniyesini benden de çok sevdi. Hatta ilk denediğinde, beş gün kadar üzerinden çıkarmadı.

Herhalde annem onu zorla duşa sokmasaydı, Rodrick sonsuza kadar o battaniyenin içinde kalacaktı.

Rodrick eskiden yatağında ya da kanepede uyurdu ama Tulum Battaniyesi olduğundan beri canı nerede isterse orada uyuyakalıyor.

Annemle babam bir süre idare ettiler ama Rodrick ve ben fazla ileri gitmiş olmalıyız ki, Tulum Battaniyelerimiz birden ortadan kayboluverdi.

Bu hafta sonu kendi Tulum Battaniyemi bulduğumda, ne yapacağımı bilemedim.

Eğer battaniyeyle evin içinde dolaşacak olursam, annem onun dolabını karıştırdığımı anlardı. Battaniyeyi yalnızca yatağımda kullanabilirdim ama o zaman da bir anlamı olmuyordu.

Ama bu sabah okula gitmek için hazırlanırken, aklıma bir fikir geldi.

Tulum Battaniyemi okul giysilerimin altına giyersem, kimse bir şey anlamazdı. O zaman sınıfta olmak, YATAKTA olmaktan farksız olurdu.

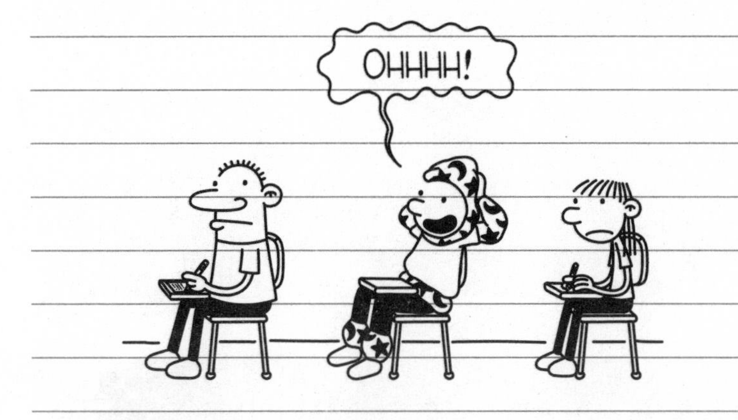

Ama keşke biraz daha iyi düşünseymişim. Tulum Battaniye evde televizyon izlerken çok rahat olabilirdi ama bununla OKULA kadar yürümek tam bir meseleydi.

Tulum Battaniye'nin bacakları çok kısaydı, bu yüzden insan yürürken penguen gibi görünüyordu.

Eldivenlerle dolabımın kapısını açamadım. Beden Eğitimi dersinde zıplama hareketleri yapmak da ÇOK AMA ÇOK zordu.

Üstelik pazenin bir sakıncasının da insanı çok TERLETMESİ olduğunu fark ettim.

Beden Eğitimi dersinden sonra, Tulum Battaniye yüzünden ter içinde kalmış ve bu fikirden vazgeçme vakti geldiğini anlamıştım.

Ama Tulum Battaniye'yi çıkarmaya çalıştığımda, fermuarı bozuldu.

Televizyonda reklamı yapılan bir şeye asla güvenmemek gerektiğini bilmeliydim.

Kafamın olduğu delikten kollarımı da geçirerek kurtulmaya çalıştım ama dirseklerimi dışarı çıkaramadım.

Paniğe kapılmaya başlamıştım çünkü o şeyin içinde havalandırma filan yoktu. Mikrodalganın içindeki börek gibi diri diri yanmaktan korkuyordum.

Bir dakika sonra, sakinleşmek için derin derin soluklar almaya başladım. Önümüzde yalnızca birkaç ders kalmıştı, sonra özgür kalıp eve gidebilirdim.

Son ders Sosyal Bilgiler idi ve sınavımız vardı. Ben sınava pek çalışmamıştım, bu yüzden Doğru/Yanlış şeklinde olduğunu görünce sevindim.

Çünkü Sihirli 8 Topu özellikle bu konuda çok başarılı.

Sınav başladığında, Sihirli 8 Topu'nu çantamdan çıkardım ve soruların üzerinden teker teker geçtim. Cevapların bazıları bana pek doğru gelmedi ama Sihirli 8 Topu'nun şimdiye kadar bana çok yardımı dokunmuştu ve şimdi de kalkıp onun doğruluğunu sorgulayacak değildim

Ancak çok zaman alıyordu. Diğer çocuklar soruları bitirmek üzerelerdi ama ben daha yarıya bile gelmemiştim.

Zil çalana kadar soruları bitiremeyeceğimden korkmaya başlamıştım. Sihirli 8 Topu da CİDDİ zorluk çıkarıyordu.

Yerinde cevaplar alabilmek için topu daha hızlı salladım ve bir anda elimden kaçırdım.

Sihirli 8 Topu sertçe yere çarptı ve benim onu yerden almama fırsat kalmadan DOĞRUCA Bayan Merritt'in önüne yuvarlandı.

Zil çalıp da sınıftakiler dışarı çıktığında, Bayan Merritt beni Bay Roy'un odasına götürdü. Bay Roy'a, "beni üstün teknoloji bir cihazla kopya çekerken yakaladığını" söyledi.

Sanırım Bay Roy'un biraz kafası karışmıştı ama yine de Bayan Merritt'in şikâyetini ciddiye aldı. Annemi aradı. On dakika sonra annem yanımızdaydı.

Annem, hakkını yemeyeyim, bana destek çıktı. Sihirli 8 Topu'nun yalnızca zararsız bir oyuncak olduğunu, bunu kullanarak kopya çekmemin MÜMKÜN OLMADIĞINI söyledi.

Annemin sözünü kesip, Sihirli 8 Topu'na bir oyuncak diyerek ona saygısızlık etmemesi gerektiğini söylemek istedim. Ama bunu daha sonra da yapabileceğime karar verdim. Hem annem henüz Tulum Battaniye hakkında kötü bir şey söylememişti. Ben de onu kızdırma riskini göze almak istemiyordum.

Bay Roy'un beni serbest bırakacağını düşünüyordum. Ama o, bilgisayarında notlarımı açtı. Son zamanlarda notlarımın düştüğünü, bütün derslerimde zorlandığımı söyledi. ÜÇ haftadır hiçbir ödevimi teslim etmediğimi de ekledi.

Bu doğru olabilir ama Fregley kitap ve defterlerimi ortalığa saçtığından beri, ödevlerimi yapmam biraz zor oluyor.

Sonra Bay Roy asıl bombayı patlattı. Eğer birkaç hafta içinde notlarımı düzeltmezsem, YAZ okuluna devam etmek zorunda kalacağımı söyledi.

Bir anda dikkat kesildim. Yaz okulu ile ilgili söylentiler duymuştum. Kesinlikle gitmek istediğim bir yer değildi.

Bir kere paradan tasarruf etmek için yaz boyunca klimaları çalıştırmadıklarını biliyorum.

Dersler, normal ders gibi değil, ceza gibiymiş. Her zamanki öğretmenler de yokmuş. Örneğin yaz okulunda İngilizce dersine TEMİZLİK GÖREVLİSİ giriyormuş.

Bay Roy beni korkutmaya mı çalışıyordu bilmiyorum ama işe yaradı. Çünkü yaz tatilini Bay Meeks ile birlikte geçirme düşüncesi bile beni sürekli A alan bir öğrenciye dönüştürmeye yeterdi.

Perşembe

Notlarımın nasıl bu kadar kötü hale geldiğini bilmiyorum çünkü yıl GAYET iyi başlamıştı. İlk üç aylık dönemde karnemde hep A'lar ve B'ler vardı. Annem başarımı kutlamak için beni dondurma yemeye bile götürmüştü.

Rodrick de o dönem notları çok kötü olduğu halde bizimle birlikte gelmişti.

Bu da bana şunu göstermişti: Sen elinden geleni yapmaya uğraşsan da, senin çok çalışmanın meyvelerini başkası yer!

Dünyanın en iyi öğrencisi filan olmadığımı biliyorum ama bugüne kadar YAZ okuluna gitme tehlikesi yaşamamıştım hiç.

Bu yüzden bu hafta durumu kontrol altına almak için yapabildiğim her şeyi yapıyorum. Annem bana bir set ikinci el kitap aldı. Şimdi her gece ödevlerimi yetiştirmeye çalışıyorum.

Ama zayıf not aldığım bazı derslerden ödev bile verilmemiş. Bu derslerden biri Müzik ve benim sorunum, derste katılım göstermemem. Oğlanların hiçbiri yapmıyor bunu. Bayan Norton burnumuzun dibine kadar girip bizi şarkıyı söylemeye zorlasa bile.

Yaz okulundaki İngilizce öğretmeni Bay Meeks ise, Müzik dersinin nasıl olduğunu düşünmek bile istemiyorum!

Bugünden itibaren, Bayan Norton'un en iyi öğrencisi olmaya karar verdim.

Bu yüzden dersin başında benim adımı söylediğinde, hemen kalktım ve üzerinde çalıştığımız şarkıyı söylemeye başladım.

Bayan Norton şarkıyı bitirmemi bekledi. Sonra benden ŞARKI söylememi istemediğini, yalnızca yoklama yaptığını söyledi.

Bütün hafta boyunca annem ödevlerimi yetiştirmem için bana yardım etti. Yalnızca Fen Bilgisi ödevimi kendi başıma yapmam gerektiğini söyledi. Bu çok fena çünkü Fen dersi benim uzmanlık alanım değil.

Geçen yılkı Fen Bilgisi ödevinde, yaptığım deney metamorfoz ile ilgiliydi. On-on beş tane kadar tırtıl toplamış ve bunları yemeleri için yapraklarla birlikte bir kutuya koymuştum. Hepsi koza yapmışlardı.

Planım kutuyu tam onların kelebeğe dönüştükleri anda açmak ve hepsini uçurmaktı.

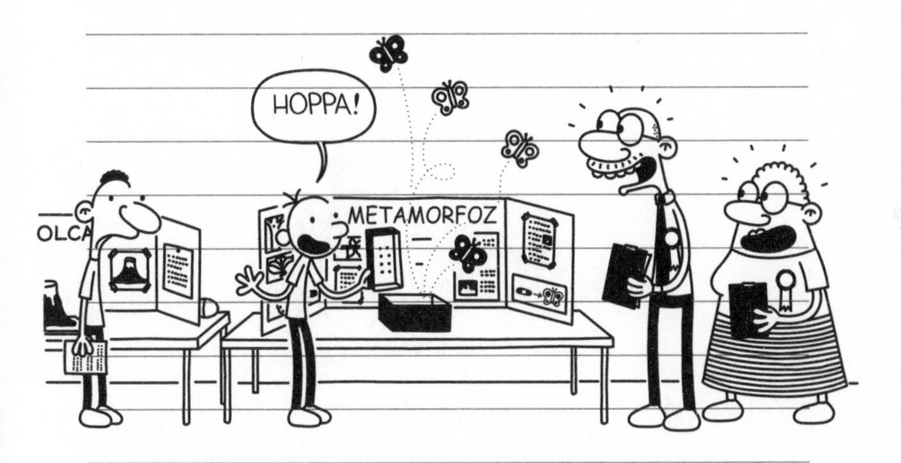

Bunun üzerinde çok çalıştım ve hatta ödevimi bir gün erken teslim ettim. Ama tırtılların olduğu kutuyu Fen Bilgisi laboratvuarında kaloriferin ısıtıcının üzerinde unutmuşum. Bu her şeyin sonu oldu.

Bugün teneffüste kütüphanede Fen Bilgisi ödevim için fikirler bulmaya çalışıyordum. Derken Betsy Buckles geldi ve bana yıllık odasında ihtiyaçlarının olduğunu söyledi.

Sınıf Favorileri sonuçlarının belli olduğunu ve kazananların resimlerini çekmem gerektiğini ekledi.

Ben bu yıl oy kullanma zahmetine katlanmamıştım, bu yüzden listede kimlerin olduğunu bile bilmiyordum. Ama kazananlar kapıdan içeri girmeye başladıklarında, kimin hangi ödülü kazandığını anlamak hiç zor olmadı.

Kazananların çoğu tahmin edilebilecek kişilerdi. Bryce Anderson En İyi Saç, Cecilia Faramir En Yetenekli, Jenna Stewart En İyi Giyinen ödüllerini kazanmışlardı.

Tek GERÇEK SÜRPRİZ, En Yakışıklı ödülünü kazanan Liam Nelson idi. Ama Liam yıllık kadrosunda çalışıyor ve notları saymakla görevli. Bu yüzden içimden bir ses sonuçlarla oynadığını söylüyor.

Fregley kapıdan içeri girdiğinde, kafam karıştı. Onun kazanabileceğini düşündüğüm tek kategori Sınıfın Soytarısı olabilirdi. Ama daha az önce Jeffrey Laffley'in resmini çekmiştim.

Betsy'nin bana verdiği listeye baktım ve Fregley'in EN POPÜLER ödülünü kazandığını gördüm. Ama son zamanlarda yaşananlara bakılırsa, sanırım buna şaşırmamalıydım.

Son iki kişi resimlerinin çekilmesi için içeri girdiğinde, yeterince keyifsizdim zaten.

Elimdeki kâğıda baktım, listeyi sonuna kadar taradım ve kendimi çok kötü hissettim.

En Tatlı Çift:	Rowley Jefferson + Abigail Brown

Hayatım boyunca can sıkıcı şeyler yapmak zorunda kaldım ama inanın bana hiçbiri bugün yaşadığım işkence ile karşılaştırılamaz.

Sonunda fotoğrafçılık görevimden istifa ettim ve fotoğraf makinesini geri verdim. Herkesin sabrının bir sınırı var.

Pazartesi

Sihirli 8 Topu'mu Bayan Merritt'in dersinde düşürdüğümden beri her şey ters gitmeye başladı.

Bay Roy bana topumu geri verdiğinde, biraz hafiflemiş olduğunu fark ettim. Meğer top yere çarptığında çatlamış ve küçük pencerenin arkasındaki mavi sıvı akmış. Bu da artık İŞE YARAMAZ olduğu anlamına geliyor.

O gün okuldan eve dönerken topu Büyükanne'nin çitinin üzerinden fırlattım. Ama son zamanlarda onu çok özlüyorum çünkü almam gereken çok hassas kararlar var.

Sonunda eksik ödevlerimi tamamlamayı başardım. Ama Fen Bilgisi ödevimi Perşembe günü teslim etmem gerek ve ne yapacağım konusunda henüz hiçbir fikrim yok.

Aklıma Erick Glick geldi. Onun ödevler konusunda zor durumda kalanlara yardımcı olduğunu duymuştum. Belki benim ödevime de yardım edebilirdi.

Ama yine de Erick gibi karanlık bir kişilikle muhatap olmak istediğimden emin değildim. Bu normalde Sihirli 8 Topu'na bırakacağım bir karar olurdu ama artık topum olmadığına göre kendi başıma karar vermek zorundaydım.

Çok umutsuz durumdaydım. Bu yüzden teneffüste okulun arka tarafında takılan Erick'i buldum ve ona durumumu anlattım.

Erick benimle ilgilenebileceğini söyledi. Birkaç metre ötedeki, üzerinde kolu olmayan kapıya gizemli bir tavırla vurdu. Kapı içerden açıldı.

Gözlerimin karanlığa alışması bir dakika aldı. Oda bir tür depo gibiydi. Yarım düzine kadar çocuk bir masada, önlerinde kâğıt yığınlarıyla oturuyorlardı.

Eski kitap raporları, tarih ödevleri, daha bir sürü şey vardı.

Buranın sorumlusu, halen sekizinci sınıfta olan ama iki kez sınıfta kalan Dennis Denard olmalıydı. Sanırım ortaokulda çok eğlendiği için bilerek sınıfta kalıyordu.

Erick, Dennis'e benim bir Fen Bilgisi ödevine ihtiyacım olduğunu söyledi. Beni eski ödevlerin olduğu rafların bulunduğu ayrı bir alana götürdü.

Anladığım kadarıyla, ödev ne kadar iyiyse o kadar pahalı oluyordu.

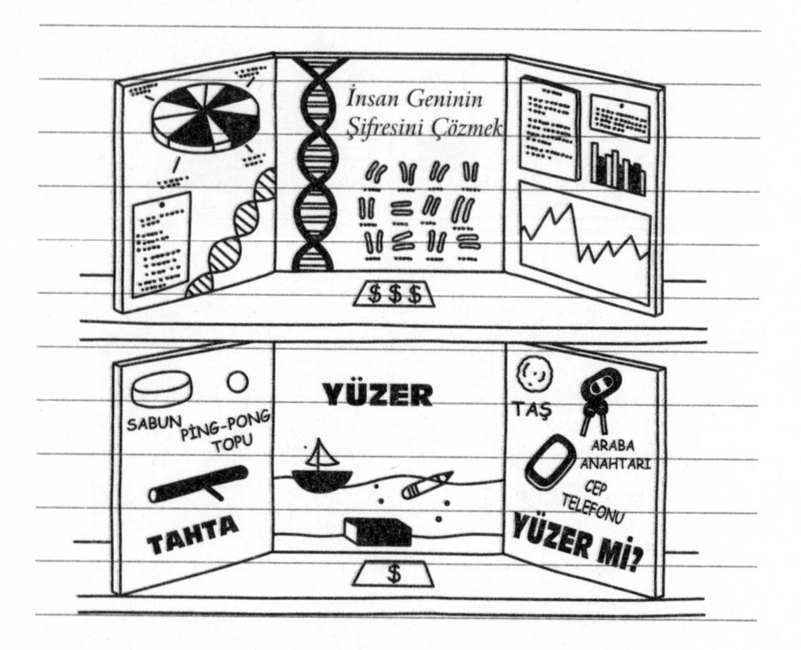

Ödevlerden biri tanıdık geliyordu. Yakından bakınca nedenini anladım. Bu RODRICK'in ortaokuldayken yaptığı Fen Bilgisi ödeviydi.

Rodrick'in bu ödev üzerinde çalışmasını hatırlıyordum. Farklı müzik türlerinin çiçeklerin hızlı büyümesi üzerinde ne kadar etkili olduğunu araştırmıştı.

Evde müzik olan her yere bir çiçek saksısı koymuştu.

Çiçeklerin hepsi iki hafta içinde ölmüşlerdi. Rodrick de onları müziğin öldürdüğünü düşünmüştü. Ama annem ona, çiçeklerin ölmesinin nedeninin onları hiç SULAMAMASI olduğunu söylemişti.

Sanırım okul bütün eski Fen Bilgisi ödevlerini, iyi not almış olsunlar olmasınlar, depoya atıyordu.

Rodrick'in eski ödevini gördüğüm için mi oldu, bilmiyorum ama bu konuyla ilgili farklı şeyler düşünmeye başlamıştım. Dennis ve Erick de benim tereddüt ettiğimi fark etmiş olmalılar ki karar vermem için baskı yapmaya başladılar.

Dennis'e yanımda hiç para olmadığını, yarın tekrar geleceğimi söyledim.

Erick bunu kanıtlamak için ceplerimi göstermemi istedi. Ama o sırada kapının aralık olduğunu fark ettim ve oradan kaçtım.

Dennis Denards ve Erick Glicks ile muhatap olmaya hazır olduğumdan emin değilim. Çünkü o ilk adımı bir kez atarsan, bir daha dönüşü yok.

Çarşamba

Bunların olacağı hiç aklıma gelmezdi. Rowley ve Abigail'in En Tatlı Çift seçilmelerinden bir hafta sonra, oyun parkında onların ayrıldıklarını duydum.

Abigail eski erkek arkadaşı Michael Sampson'a geri dönmüş. Herkes onun en başından beri Rowley ile sırf Michael'i kıskandırmak için çıktığını söylüyor.

Belli ki İŞE YARAMIŞ. Ama duyduğuma göre, Rowley bunu çok acı bir şekilde öğrenmiş.

Ama zamanımı Rowley için üzülerek harcayamayacağım çünkü benim KENDİ dertlerim var.

Dün üst üste ikinci kez, yarın teslim etmem gereken Fen Bilgisi ödevim üzerinde çalışmak için, dersler bittikten sonra okulda kaldım.

Bu arada, iyi ki Dennis Denard ile iş yapmaya kalkmamışım. Çünkü biri durumu bir öğretmene ispiyonlamış. Bugün depoya baskın yapıldı ve çetenin üyeleri suçüstü yakalandı.

Yakalanan çocuklar, yılın geri kalanında okuldan uzaklaştırma cezası aldılar. Bu cezaya yaz okuluna doğru bir yolculuğun da dahil olduğuna eminim.

Benim hâlâ yaz okulundan kurtulma şansım var. Ve umarım kurtulurum, çünkü yaz boyunca Dennis Denard'ın terli sırtına bakmak istemiyorum.

Perşembe

Dün eve geldiğim andan saat gece on bir buçuğa kadar Fen Bilgisi ödevim üzerinde çalıştım. Ödevimin Nobel ödülü filan kazanacağını söylemiyorum ama bitirdiğimde kendimle gurur duydum.

Sanırım annem de çok mutluydu. Ama ben bitirdiğimde, Bayan Abbington'ın eve gönderdiği taleplerin üzerinden geçti ve ödevin bilgisayarda yazılmış olması gerektiğini söyledi.

Hiç ağlayıp sızlanmamalı, ödevi bilgisayarda yazmaya bir an önce başlamalıydım.

Ama o ana kadar bütün enerjimi harcamıştım zaten. Bu yüzden anneme biraz uyuyacağımı, ödevi de sabah çok erken kalkıp yazacağımı söyledim.

Saatimi saat altıya kurdum ama sabah uyandığımda saat sekizi on geçiyordu. Delirecek gibi oldum çünkü alarmı bir kez bile susturduğumu hatırlamıyordum.

Başımın dertte olduğunu biliyordum çünkü yirmi dakika içinde evden çıkmam gerekiyordu ve bu süre içinde ödevi bilgisayarda yazmam mümkün değildi.

Ama aşağı indiğimde, Fen Bilgisi ödevim masanın üzerinde duruyordu. Üstelik bilgisayarda yazılmış halde!

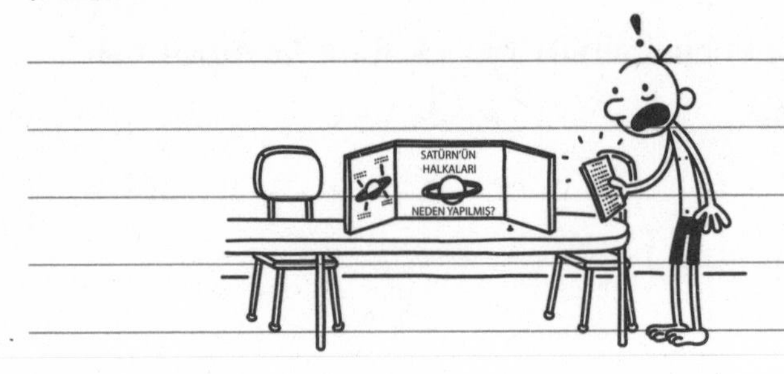

Bir an belki de Fen Bilgisi Ödevi Perisi'nin geldiğini ve ödevimin üzerine sihirli toz döktüğünü düşündüm. Ancak sonra bunu yapanın ANNEM olduğunu anladım.

Ona teşekkür etmek için üst kata çıktım ama derin uykudaydı.

İkinci derste Fen Bilgisi ödevimi verdim ve kendimi omuzlarımdan büyük bir yük kalkmış gibi hissettim. Günün geri kalanı boyunca çok keyifliydim.

Diğer yanda, Rowley'in pek keyifli olduğu söylenemezdi.

Teneffüste yüzünde sıkıntılı bir ifadeyle dolaştı. Bir iki kez onu Arkadaş Bulma Köşesi'nin yanında gördüm.

Yanına gidip onunla konuşmayı düşündüm ama Bay Nern bana fırsat bırakmadı.

Düşündükçe, Rowley ile benim arkadaş olmamamızın daha iyi olacağına karar verdim. O kadar uzun zamandır bir dargın bir barışık yaşıyorduk ki artık yetti.

Ama Rowley'in bankta Bay Nern ile bankta satranç oynadığını görünce kendimi suçlu hissettim.

Rowley konusunda ne yapacağıma karar veremiyordum. Ben de cevabı bulabileceğimi düşündüğüm yere gittim.

Okuldan eve dönerken Büyükanne'nin evine uğradım ve arka bahçede Sihirli 8 Topu'nu aradım. Onun kırıldığını biliyordum ama yine de bir şekilde bir cevap alabilirdim belki.

Biraz uzun sürdü ama sonunda onu odun yığınının kenarında buldum.

Yoğunlaşıp sorumu sormaya hazırdım ama o sırada bir kütüğün altında yeşil ve parlak bir şey fark ettim.

Sihirli 8 Topu'nu unuttum ve plastik yumurtayı aldım.

Yumurtayı sallayınca, çıkan sesten içinde ne olduğunu anladım.

Sihirli 8 Topu'nun beni Ninecik'in pırlanta yüzüğüne götürdüğüne inanamıyordum. Son zamanlarda yaşadığım onca şeyden sonra, yüzüğü benim HAK ETTİĞİMİ düşünmüştü herhalde.

Ninecik'in yüzüğünü bulunca, aklımdan BİR MİLYON düşünce geçti. Çoğunda da bir an önce bir jete binip kaçmak vardı.

Ama sonra annemin birinin yüzüğü bulması halinde neler olacağını söylediğini hatırladım. Yüzüğü çok iyi bir fiyata satabilirdim ama bunun için ailenin dağılmasına değmezdi.

Ben de yumurtayı aldım ve kimsenin bulamayacağı bir yere sakladım. En azından bir süre kimsenin bulamayacağı bir yere. Ama eğer bir gün nakit paraya ihtiyacım olursa, Gıdık 4 ile Gıdık 5 arasına bakabileceğimi biliyorum.

Pazartesi

Sihirli 8 Topu küçük kararlarda insana yardımcı olabiliyor ama BÜYÜK kararları benim vermem gerek sanırım.

Bugün öğle yemeğinde, kuyruğun arka tarafında oturan Rowley'in yanına gittim ve ona gelip benimle oturmak isteyip istemediğini sordum. Beş saniye sonra, her şey eski günlerdeki gibiydi.

Annem her zaman arkadaşların gelip geçici, ailenin kalıcı olduğunu söylüyor, biliyorum. Belki de bu doğrudur.

Ama okuldan eve dönerken Meckley Mingo seni kemeriyle kovaladığında, ailen yanında olmuyor.

Eminim Rowley ve ben yine kavga edeceğiz. Bu dram yine yaşanacak. Ama şimdilik aramız iyi.

En azından YILLIK yayınlanana kadar. Ama bu meseleyi aramızda halledebiliriz sanıyorum.

En Tatlı Çift

Rowley & Abigail

TEŞEKKÜRLER

Bu kitapları yazmayı büyük bir zevk haline getiren, dünya çapındaki tüm Saftirik hayranlarına teşekkürler. Harikasınız. Bana ilham ve güç verdiğiniz için size minnettarım. Bana verdikleri destek için ve hep güldükleri için harika aileme teşekkür ederim. Yaşadığımız bütün hikâyeleri bu kitaplara yerleştirdim. Bu serüveni sizinle paylaşmak o kadar keyifli ki.

Kitaplarımı büyük bir özenle yayınladıkları için Abrams'taki herkese teşekkürler. Her kitaba, sanki ilk kitapmış muamelesi yaptığı için Charlie Kochman'a teşekkürler. Greg Heffley'nin başarılı olması için yaptığı her şeyden dolayı Michael Jacobs'a teşekkürler. Çabaları ve dostlukları için Jason Wells'e, Veronica Wasserman'a, Scott Auerbach'a, Chad W. Beckerman'a ve Susan Van Metre'ye teşekkürler. Birlikte çok güzel zamanlar geçirdik, bundan sonra da geçireceğiz.

Jess Brallier'a ve Poptropica'daki bütün ekibime destekleri, yaratıcılıkları ve çocuklar için yazdıkları harika öyküler nedeniyle teşekkürler.

Muhteşem ajansım Sylive Rabineau'ya rehberliği ve teşviki için teşekkürler. Elizabeth Gabler, Carla Hacken, Nick Dangelo, Nina Jacobson, Brad Simpson ve David Bowers'a Greg Heffley'yi ve ailesini ekrana taşıdıkları için teşekkürler.

Her şeyin kusursuz bir şekilde işlemesini sağladığı ve bana pek çok açıdan yardımcı olduğu için Shaelyn Germain'a teşekkürler.

YAZAR HAKKINDA

Jeff Kinney, *New York Times* çok satanlar listesinde defalarca 1 numaraya yükselmiş çocuk kitapları yazarıdır. *Saftirik Greg'in Günlüğü* serisiyle altı kere Nickelodeon Kids "Choice Award" en sevilen kitap ödülünü kazandı. *Time* dergisi tarafından Dünyanın En Etkili 100 Kişisi'nden biri seçildi. Kendisi aynı zamanda *Time* dergisinin seçtiği en iyi 50 web sitesinden biri olan Poptropica.com'un yaratıcısıdır. Çocukluğu Washington D.C.'de geçen yazar 1995 yılında New England'a taşındı. Halen güney Massachusetts'te eşi ve iki oğluyla birlikte yaşıyor. Burada An Unlikely Story adında bir kitapçıları var.